CB140312

2

Contos Árabes

PandorgA

Todos os direitos reservados
Copyright © 2021 by Editora Pandorga

Direção Editorial
Silvia Vasconcelos
Produção Editorial
Equipe Editora Pandorga
Tradução e Organização
Juliana Garcia
Revisão
Carla Paludo
Capa e Projeto Gráfico
Lumiar Design

Texto de acordo com as normas do Novo Acordo Ortográfico da Língua Portuguesa
(Decreto Legislativo nº 54, de 1995)

Dados Internacionais de Catalogação na Publicação (CIP)
Elaborado por Vagner Rodolfo da Silva - CRB-8/9410

C763 Contos Árabes / vários autores ; organizado por Juliana Garcia ; traduzido por Juliana Garcia. - Cotia : Pandorga, 2021.
304 p. ; 13.5cm x 20,5cm.

Inclui índice.
ISBN: 978-65-5579-091-7
1. Literatura árabe. 2. Contos árabes. 2. Cultura árabe. I. Garcia, Juliana. II. Título.

2021-2100 CDD 892.7
CDU 821.411.21

Elaborado por Vagner Rodolfo da Silva - CRB-8/9410

Índice para catálogo sistemático:
1. Literatura árabe 892.7
2. Literatura árabe 821.411.21

2021
IMPRESSO NO BRASIL
PRINTED IN BRAZIL
DIREITOS CEDIDOS PARA ESTA EDIÇÃO À
EDITORA PANDORGA
THE SQUARE GRANJA VIANNA
RODOVIA RAPOSO TAVARES, KM 22 –
LAGEADINHO – COTIA – SÃO PAULO – BRASIL
06709-015
TEL. (11) 4612-6404

www.editorapandorga.com.br

Sumário

Introdução

A civilização e os povos árabes têm algumas das histórias e lendas mais diversas e coloridas do mundo. Muitas histórias que conhecemos hoje foram inicialmente transmitidas oralmente, de geração em geração, ao longo de milhares de anos, até serem compiladas no papel. Embora algumas delas sejam conhecidas como puros mitos e tenham assumido o papel dos contos de fadas comuns entre os árabes, há quem acredite em outras.

Ainda que tenha havido inúmeras transformações de sentido, adaptações e ressignificações, é inegável que as histórias de gênios, ghouls, lâmpadas mágicas, tapetes voadores e desejos contidos em histórias como "Aladim" ou "Ali babá e os quarenta ladrões" fazem parte do imaginário de crianças de todo o mundo.

O folclore árabe também conta com criaturas e lugares místicos, muitos dos quais aparecem nos contos das *Mil e uma Noites*. As histórias de Simbad, o marujo, por exemplo, abrem espaço para um mundo de magia, mas onde a coragem, honra e bravura do narrador - temas tão importantes para a cultura - continuam tendo um papel central.

Neste volume, além dos lindos contos selecionados, traremos também a você, leitor, algumas curiosas criaturas do folclore árabe. Boa viagem!

Aladim

(de *As mil e uma noites*. Antoine Galland, 1704)

A história de Aladim é, talvez, uma das mais conhecidas mundialmente. Ao pensarmos nela, provavelmente virá à nossa cabeça a imagem de um jovem árabe que passou da pobreza para a riqueza, um cenário exótico, doses de mágica e tapetes voadores.

O conto foi adicionado às Mil e uma noites, a obra mais famosa da literatura árabe, mas na sua versão original – a mais antiga a que se tem acesso – a história é um pouco diferente da que a maioria de nós conhece.

Hoje, costumamos associar Aladim à Pérsia e ao Oriente Médio graças a filmes como O ladrão de Bagdá (1924) e Aladim da Disney, mas, na história original, a trama se passa na China. A história não fazia parte originalmente das Mil e uma noites, sendo adicionada posteriormente pelo tradutor francês Antoine Galland, no início do século XVIII.

Embora Galland tenha ouvido a história de um contador de histórias árabe, a história de Aladim se passa no Extremo Oriente, e não no Oriente Médio. O conto não tinha nada a ver com os contos originais das Mil e uma noites e não aparece em nenhum dos manuscritos. No entanto, desde que Galland o adicionou à sua versão, ele se tornou indiscutivelmente uma das histórias mais famosas.

A razão pela qual pensamos na história como uma das verdadeiras noites árabes é que muitos dos personagens no conto de Aladim são muçulmanos árabes com nomes árabes. O próprio nome da princesa Jasmine, filha do sultão, foi uma invenção do filme da Disney. Na história original, o interesse amoroso de Aladim é chamado de Buddir al Buddor (o nome significa "lua cheia das luas cheias" em árabe).

Apesar de a história de Aladim não fazer parte do texto original de Mil e uma noites, é impossível não pensar nela quando pensamos em contos árabes. Ela começa assim:

Em uma das grandes e ricas cidades da China, vivia um alfaiate muito pobre chamado Mustapha. Ele dificilmente conseguia, com seu trabalho diário, manter a si mesmo e à sua família, que consistia apenas de sua esposa e um filho.

Seu filho, que se chamava Aladim, era um sujeito muito descuidado e preguiçoso. Ele era desobediente ao pai e à mãe, e saía de manhã cedo e ficava fora o dia todo, brincando nas ruas e lugares públicos com crianças de sua idade que eram igualmente ociosas.

Quando ele alcançou idade suficiente para começar a trabalhar, seu pai o levou para sua própria loja e o ensinou a costurar, mas todos os esforços de seu pai foram em vão, pois, assim que ele virava as costas, o menino ia embora. Mustapha o repreendia, mas Aladim era incorrigível, e seu pai, para sua grande tristeza, foi forçado a abandoná-lo à sua ociosidade. Ele ficou tão preocupado com o filho que adoeceu e morreu em poucos meses.

Aladim, que agora não era mais contido pelo medo de um pai, entregou-se inteiramente à sua preguiça e nunca saia das ruas. Seguiu esse caminho até os quinze anos, sem se dedicar a nenhuma atividade útil ou à menor reflexão sobre o que seria de seu futuro. Um dia, enquanto estava brincando na rua com seus companheiros como de costume, um estranho que passava parou para observá-lo.

Esse estranho era um feiticeiro, conhecido como o mago africano, pois há apenas dois dias havia chegado da África, seu continente natal.

O mago africano, vendo no rosto de Aladim algo que o assegurava de que ele era um menino adequado para seus objetivos, perguntou seu nome e a história de seus companheiros. Depois de saber tudo o que desejava saber, aproximou-se dele e, levando-o para longe de seus amigos, disse:

– Filho, seu pai não era o alfaiate Mustapha?

– Sim, senhor – respondeu o menino –, mas ele morreu há muito tempo.

Com essas palavras, o mago africano abraçou e beijou Aladim várias vezes, com lágrimas nos olhos, dizendo:

– Eu sou seu tio. Seu digno pai era meu irmão. Eu lhe reconheci à primeira vista, você é tão parecido com ele!

Então ele deu a Aladim um punhado de dinheiro, dizendo:

— Vá, meu filho, encontrar a sua mãe. Dê minhas lembranças a ela e diga-lhe que a visitarei amanhã para que eu possa ver onde meu bom irmão morava e onde terminou seus dias.

Aladim correu para sua mãe, muito feliz com o dinheiro que seu tio o havia dado.

— Mãe — disse ele —, eu tenho um tio?

— Não, filho — respondeu a mãe. — Você não tem nenhum tio, nem da parte do seu pai nem da minha.

— Acabei de encontrar — disse Aladim — um homem que diz ser meu tio, irmão de meu pai. Ele chorou e me beijou quando contei que meu pai estava morto e me deu dinheiro, enviou lembranças para você e prometeu vir nos visitar para que ele possa conhecer a casa em que meu pai viveu e morreu.

— Na verdade, meu filho — respondeu a mãe —, seu pai não tinha irmãos, nem você tem um tio.

No dia seguinte, o mago encontrou Aladim brincando em outra parte da cidade e, abraçando-o como da outra vez, colocou duas moedas de ouro em sua mão e lhe disse:

— Leve isto, criança, para sua mãe. Diga a ela que eu vou vê-la esta noite e peça-lhe que faça algo para o jantar. Mas primeiro me mostre a casa onde você mora.

Aladim mostrou a casa ao mago africano e levou as duas moedas de ouro para sua mãe, que saiu e comprou mantimentos. Ela passou o dia inteiro preparando a ceia e, à noite, quando estava pronta, disse ao filho:

— Talvez o estranho não saiba como encontrar nossa casa. Vá e, se você se encontrar com ele, traga-o até aqui.

Aladim estava pronto para sair quando o mago bateu à porta e entrou carregado com vinho e todos os tipos de frutas que trouxera de sobremesa. Depois de entregar o que havia trazido nas mãos de Aladim, ele saudou sua mãe e desejou que ela lhe mostrasse o lugar onde seu irmão Mustapha costumava sentar-se no sofá. Ele então a abraçou e beijou várias vezes, gritando, com lágrimas nos olhos:

— Meu pobre irmão! Como estou infeliz por não ter vindo mais cedo para dar-lhe um último abraço!

A mãe de Aladim queria que ele se sentasse no mesmo lugar que o irmão costumava sentar, mas ele se recusou.

— Não — disse ele —, eu não farei isso; mas dê-me permissão para sentar-me em frente à cadeira dele, porque, embora eu não possa ver o senhor de uma família tão querida para mim, poderei pelo menos contemplar o lugar onde ele costumava se sentar.

Depois que o mago escolheu um lugar e se sentou, ele começou a conversar com a mãe de Aladim.

— Minha boa irmã, não fique surpresa por nunca ter me visto durante todo o tempo em que esteve casada com meu irmão Mustapha. Estou há quarenta anos ausente deste país, que é minha terra natal e de meu falecido irmão. Durante esse tempo, viajei para as Índias, Pérsia, Arábia e Síria e depois atravessei para a África, onde fixei residência no Egito. Por fim, como é natural para um homem, eu desejava ver meu país natal novamente e abraçar meu querido irmão e, quando percebi que tinha forças para empreender uma viagem tão longa, fiz os preparativos necessários e parti. Nada jamais me afligiu tanto quanto a morte de meu irmão. Mas Deus seja louvado por todas as coisas! É um conforto para mim, encontrar, por assim dizer, meu irmão em um filho, que tem seus traços mais notáveis.

O mago africano, percebendo que a viúva chorava com a lembrança do marido, mudou a conversa e, voltando-se para o filho, perguntou-lhe:

– O que você faz? Você tem alguma profissão?

Com essa pergunta, o jovem baixou a cabeça e não ficou nem um pouco envergonhado quando sua mãe respondeu:

– Aladim é um sujeito preguiçoso. Seu pai, quando vivo, se esforçou ao máximo para ensiná-lo seu ofício, mas não conseguiu. Desde a sua morte, ele não faz nada senão perder tempo nas ruas, como você viu, sem considerar que ele não é mais uma criança. De minha parte, estou decidida, um dia desses, a expulsá-lo de casa e deixar que se vire sozinho.

Depois dessas palavras, a mãe de Aladim começou a chorar, e o mago disse:

– Isso não é bom, sobrinho, você deve pensar em se ajudar e ganhar o seu sustento. Existem muitos tipos de trabalhos, talvez você não goste do que seu pai fazia e prefira outro. Vou me esforçar para ajudar você. Se você não tem vontade de aprender qualquer artesanato, vou abrir uma loja para você, mobiliá-la com todos os tipos de tecidos finos e roupas de cama e então, com o dinheiro que você ganhar com eles, poderá investir em mercadorias novas e viver de maneira honrosa. Diga-me o que pensa da minha proposta. Sou um homem de palavra.

Esse plano combinava com Aladim, que odiava trabalhar. Ele disse ao mago que tinha uma inclinação maior para esse negócio do que para qualquer outro e que ficaria muito grato a ele por sua bondade.

– Bem, então – disse o mago africano –, vou levá-lo comigo amanhã, vesti-lo tão bem quanto os melhores mercadores da cidade e depois abriremos uma loja como mencionei.

A viúva não duvidou mais de que o mago fosse irmão de seu marido depois de uma promessa tão generosa. Ela agradeceu por suas boas intenções e serviu a ceia, na qual conversaram sobre vários assuntos diferentes. Então o mago despediu-se e retirou-se.

Ele voltou no dia seguinte, como havia prometido, e levou Aladim com ele a um comerciante que vendia todos os tipos de roupas para diferentes idades e classes, com uma variedade de tecidos finos, e pediu a Aladim que escolhesse os que preferia.

Aladim agradeceu ao tio, que assim se dirigiu a ele:

– Como você em breve será um comerciante, é apropriado que você frequente essas lojas e se familiarize com elas.

Ele então lhe mostrou as maiores e melhores mesquitas, levou-o para as estalagens em que os mercadores e viajantes se hospedavam e, depois, para o palácio do sultão, onde ele tinha acesso livre. Por fim, levou-o até sua própria casa, onde ofereceu um banquete para que Aladim conhecesse outros mercadores.

Essa diversão durou até a noite, quando Aladim foi se despedir do tio para voltar para casa. O mago não o deixou ir sozinho e o levou até sua mãe, que, assim que o viu tão bem vestido, encheu-se de alegria e concedeu mil bênçãos ao mago.

Na manhã seguinte, o mago chamou novamente Aladim e disse que o levaria para passar aquele dia no campo e no dia seguinte compraria a loja. Ele então o conduziu, por um dos portões da cidade, a alguns palácios magníficos com belos jardins. A cada estabelecimento que visitavam, ele perguntava a Aladim se não gostava do lugar, e o jovem respondia:

— Essa casa é melhor do que qualquer outra que já vimos.

Por meio desse artifício, o astuto mago conduziu Aladim para longe da cidade e, como pretendia levá-lo ainda mais longe para executar seu plano, fingiu estar cansado e aproveitou para se sentar em um dos jardins, à beira de uma fonte de água límpida, que se escoava pela boca de um leão de bronze em uma bacia.

— Venha, sobrinho — disse ele —, você deve estar tão cansado quanto eu. Vamos descansar e depois ficará mais fácil continuar nossa caminhada.

Em seguida, o mago tirou do cinto um lenço com bolos e frutas e, durante essa breve refeição, tentou convencer o sobrinho a deixar as más companhias e a procurar homens sábios e prudentes para melhorar sua conversa.

– Você logo será um homem e deverá agir como um.

Depois de comerem à vontade, levantaram-se e continuaram o seu passeio por jardins separados uns dos outros apenas por pequenas valas, que demarcavam os limites sem interromper a comunicação, tão grande era a confiança que os habitantes depositavam uns nos outros.

Assim, o mago africano atraiu Aladim, sem ser percebido, para além dos jardins e cruzou o país, até quase chegarem às montanhas.

Por fim, chegaram entre duas montanhas de altura moderada e igual tamanho, divididas por um vale estreito, onde o mago pretendia executar o projeto que o trouxera da África à China.

– Não iremos mais longe agora – disse ele a Aladim. – Vou lhe mostrar aqui algumas coisas extraordinárias. Reúna todos os gravetos secos soltos que você encontrar para acendermos o fogo.

Aladim encontrou tantos gravetos secos que logo já tinha uma grande pilha. O mago logo acendeu o fogo e, quando já havia chamas, ele jogou um pouco de incenso, dizendo várias palavras mágicas, que Aladim não entendeu.

Ele mal tinha feito isso quando a terra se abriu na frente do mago e revelou uma pedra com um anel de latão em torno dela. Aladim ficou tão assustado que quis sair correndo, mas o mago o agarrou e deu-lhe um tapa tão forte que o derrubou. O menino se levantou tremendo e, com lágrimas nos olhos, disse ao mago:

– O que eu fiz, tio, para ser tratado dessa maneira severa?

– Eu sou seu tio – respondeu o mago. – Eu supri o lugar de seu pai, e você não deve responder. Mas, meu querido – acrescentou ele, suavizando o tom –, não tenha medo, pois nada lhe pedirei e, se você me obedecer, colherá as vantagens que pretendo dar a você. Saiba, então, que sob esta pedra está escondido um tesouro, destinado a ser seu, e que o tornará mais rico do que o maior monarca do mundo. Ninguém além de você consegue erguer esta pedra ou entrar na caverna; portanto, você deve fazer exatamente o que eu disser, pois se trata de algo importante tanto para você quanto para mim.

Aladim, surpreso com tudo que viu e ouviu, esqueceu-se do que havia passado e, levantando-se, disse:

– Bem, tio, o que deve ser feito? Diga-me. Irei obedecer.

– Fico muito feliz, criança – disse o mago africano, abraçando-o. – Segure o anel e levante aquela pedra.

– Na verdade, tio – respondeu Aladim –, não sou forte o suficiente; você precisa me ajudar.

– Não será necessário – respondeu o mago. – Pegue o anel e levante-o. Você descobrirá que sairá facilmente.

Aladim fez o que o mago ordenou, levantou a pedra com facilidade e colocou-a de lado.

Ao ser puxada para cima, revelou uma escada com cerca de um metro e meio de profundidade, que levava a uma porta.

— Desça esses degraus, meu filho — disse o mago africano —, e abra essa porta. Ela o levará a um palácio, dividido em três grandes salões. Em cada um deles, você verá quatro grandes cisternas de latão colocadas em cada lado, cheias de ouro e prata, mas cuidado para não encostar nelas. Antes de entrar no primeiro corredor, certifique-se de dobrar seu manto, envolvê-lo em você e, em seguida, passe do segundo para o terceiro corredor sem parar. Acima de tudo, tome cuidado para não tocar nas paredes, pois, se isso acontecer, você morrerá instantaneamente. No final do terceiro corredor, você encontrará uma porta que se abre para um jardim com belas árvores carregadas com frutas. Atravesse o jardim diretamente até um terraço, onde verá um nicho à sua frente e, nesse nicho, uma lâmpada acesa. Pegue a lâmpada e apague-a. Depois de jogar fora o pavio e despejar o líquido, coloque-a na cintura e a traga para mim. Não se preocupe que o líquido vá sujar suas roupas, pois não é óleo, e a lâmpada secará assim que for apagada.

Após essas palavras, o mago tirou um anel de seu dedo e colocou-o em Aladim, dizendo:

— Será um talismã contra todo o mal, desde que você me obedeça. Vá, portanto, com coragem, e ambos seremos ricos pelo resto das nossas vidas.

Aladim desceu as escadas e, abrindo a porta, encontrou os três corredores exatamente como o mago africano havia descrito. Passou por eles com toda a precaução, atravessou o jardim sem parar, tirou a lâmpada do nicho, jogou fora o pavio e o líquido e, como o mago desejara, pegou-a para si. Ao descer do terraço, entretanto, vendo que estava perfeitamente seco, parou no jardim para observar as árvores, que estavam carregadas de extraordinários frutos de diferentes cores em cada árvore. Algumas davam frutos inteiramente brancos, outros eram claros e transparentes como o cristal; alguns eram vermelho-claro e outros de cores mais profundas; alguns verdes, azuis e roxos e outros amarelos; enfim, havia frutos de todas as cores. Os brancos eram pérolas; os claros, diamantes; o vermelho intenso, rubis; os verdes, esmeraldas; os azuis, turquesas; os roxos, ametistas; e os amarelos, safiras. Aladim, ignorando seu valor, teria preferido figos, uvas ou romãs, mas, como tinha permissão do tio, resolveu reunir alguns de todos os tipos. Depois de encher as duas novas bolsas que seu tio havia comprado para ele com suas roupas, ele enrolou alguns frutos na borda do colete e encheu o peito o máximo que podia.

Aladim, tendo assim se carregado de riquezas das quais não sabia o valor, voltou pelos três salões com a maior cautela e logo chegou à boca da caverna, onde o mago africano o aguardava com a maior impaciência.

Assim que Aladim o viu, gritou:

– Por favor, tio, dê-me sua mão para me ajudar.

– Dê-me a lâmpada primeiro – respondeu o mago. – Ela lhe trará problemas.

– De fato, tio – respondeu Aladim –, não consigo agora, mas lhe darei assim que chegar à superfície.

O mago africano estava determinado a ter a lâmpada em suas mãos antes de ajudá-lo a subir. Aladim, que havia se sobrecarregado tanto com os frutos que não podia segurá-los bem, recusou-se a entregá-la até que ele saísse da caverna. O mago africano, contrariado por essa recusa obstinada, enlouqueceu, atirou um pouco do seu incenso ao fogo e pronunciou duas palavras mágicas, e a pedra que fechava a boca da escada se moveu para o lugar que estava quando eles haviam chegado.

Essa atitude do mago revelou claramente a Aladim que ele não era seu tio, mas alguém que o estava usando para o mal. A verdade é que o mago havia aprendido em seus livros de magia o segredo e o valor daquela lâmpada maravilhosa, cujo dono se tornaria mais rico do que qualquer governante terreno e decidira partir em busca dela. A profecia também dizia que ele próprio não poderia pegar a lâmpada, mas sim recebê-la de presente das mãos de outra pessoa. Consequentemente, ele decidiu usar Aladim e esperava, por meio de uma mistura de bondade e autoridade, torná-lo obediente à sua palavra e vontade. Ao perceber que sua tentativa havia fracassado, ele decidiu retornar à África, mas evitou a cidade para que ninguém que o tivesse visto partir na companhia de Aladim perguntasse sobre o jovem.

O jovem, preso no escuro, gritou chamando seu tio para dizer que lhe daria a lâmpada. Mas em vão, já que seus gritos não podiam mais ser ouvidos.

Ele desceu até a base da escada com a intenção de entrar no palácio, mas a porta, que antes havia sido aberta por encantamento, agora estava fechada da mesma forma. Ele então redobrou seus gritos e lágrimas e sentou-se nos degraus sem qualquer esperança de ver a luz novamente.

Em meio à situação de apuros, ele disse:

– Não há força ou poder a não ser no grande e altíssimo Deus.

Ao juntar as mãos para orar, ele esfregou o anel que o mago colocara em seu dedo. Imediatamente um gênio de aspecto assustador apareceu e disse:

– O que você quer? Estou às suas ordens. Eu sirvo aquele que possui o anel em seu dedo; tanto eu quanto os outros servos desse anel.

Em outra ocasião, Aladim teria se assustado ao ver uma figura tão extraordinária, mas o perigo que corria o fez responder sem hesitação:

– Seja você quem for, livra-me deste lugar.

Mal havia dito essas palavras, ele se viu no mesmo lugar onde o mago o havia deixado pela última vez, sem nenhum sinal de caverna ou abertura, nem perturbação na terra. Agradecendo a Deus por estar mais uma vez no mundo, ele tentou voltar para casa. Ao entrar na casa de sua mãe, a alegria de vê-la e a fraqueza por falta de comida o deixaram tão fraco que permaneceu desacordado por muito tempo. Assim que se recuperou, contou à mãe tudo o que lhe acontecera, e os dois recriminaram aquele mago cruel.

Aladim dormiu profundamente até tarde da manhã seguinte, e a primeira coisa que disse à mãe quando acordou foi que queria algo para comer.

– Ai! Querido! – disse ela. – Não tenho um pedaço de pão para lhe dar; você comeu todas as provisões que eu tinha em casa ontem; mas tenho um pouco de algodão que fiei; irei vendê-lo e comprar pão e algo para o nosso jantar.

– Mãe – respondeu Aladim –, guarde seu algodão para outra hora e me dê a lâmpada que eu trouxe para casa ontem. Vou vendê-la, e o dinheiro que receberei por ela servirá tanto para o café da manhã quanto para o almoço, e talvez para o jantar também.

A mãe de Aladim pegou a lâmpada e disse ao filho:

– Aqui está, mas está muito suja. Se estivesse um pouco mais limpa, acredito que poderíamos vendê-la por um valor maior.

Ela pegou um pouco de água para limpá-la, mas ela mal havia começado a esfregá-la e, em um instante, um gênio gigante apareceu diante dela e disse em uma voz forte como um trovão:

– O que você quer? Estou pronto para obedecê-la como seu escravo e escravo de todos aqueles que têm a lâmpada em suas mãos; eu e os outros escravos da lâmpada.

A mãe de Aladim, apavorada com o gênio, desmaiou. Aladim reconheceu o mesmo gênio que vira na floresta, arrancou a lâmpada das mãos de sua mãe e disse:

– Estou com fome. Traga-me algo para comer.

O gênio desapareceu imediatamente e, em um instante, voltou com uma grande bandeja de prata, contendo doze pratos cobertos do mesmo metal, que continham as mais deliciosas iguarias; seis grandes bolos de pão branco em dois pratos, dois jarros de vinho e duas taças de prata. Tudo isso ele colocou sobre um tapete e desapareceu; tudo antes da mãe de Aladim acordar.

O menino foi buscar um pouco de água e borrifou em seu rosto para recuperá-la, o que aconteceu em pouco tempo.

– Mãe – disse Aladim –, não tenha medo. Levante-se e coma.

Sua mãe ficou muito surpresa ao ver a grande bandeja, doze pratos, seis pães, os dois jarros e duas taças, e ao sentir o cheiro saboroso que vinha dos pratos.

– Filho – disse ela –, a quem devemos por esta grande abundância e generosidade? O sultão conheceu nossa pobreza e teve compaixão de nós?

– Não importa, mãe – disse Aladim. – Vamos sentar e comer, pois você quase precisa tanto de um bom desjejum quanto eu. Quando terminarmos, eu lhe direi.

Mãe e filho sentaram-se e comeram com gosto, pois a mesa estava muito farta. Mas durante todo o tempo a mãe de Aladim não conseguia deixar de olhar e admirar a bandeja e os pratos, ainda que não soubesse dizer se eram de prata ou outro metal.

Depois de comerem, a mãe de Aladim se sentou ao lado de seu filho no sofá, dizendo:

– Espero que agora você satisfaça minha impaciência e me diga exatamente o que se passou entre o gênio e você enquanto eu estava desmaiada.

Ele prontamente atendeu ao pedido dela.

Ela ficou tão surpresa com o que seu filho lhe disse quanto com a aparição do gênio.

– Mas, filho, o que temos a ver com gênios? Nunca ouvi dizer que algum conhecido meu tivesse visto um. Como é que aquele gênio vil se dirigiu a mim, e não a você, a quem ele havia aparecido antes na caverna?

– Mãe, o gênio que você viu não é o mesmo que apareceu para mim. Se você se lembra, aquele que eu vi pela primeira vez se dizia escravo do anel que estava no meu dedo. O que você viu se dizia escravo da lâmpada que você tinha na mão, mas creio que não escutou isso, porque você desmaiou assim que ele começou a falar.

– Como assim? Foi sua lâmpada então o motivo pelo qual aquele gênio maldito se dirigiu a mim e não a você? Ah! Meu filho, tire-a da minha vista e coloque-a onde quiser. Eu preferia que você a vendesse a correr o risco de morrer de medo novamente ao tocá-la. Também acho que você deveria se livrar do anel, que provavelmente não tem nada a ver com gênios, os quais, como nosso profeta disse, são apenas demônios.

– Com todo respeito, mãe, como poderia vender uma lâmpada que pode ser tão útil para nós? Aquele falso e perverso mago não teria empreendido uma viagem tão longa para pegar essa maravilhosa lâmpada se não soubesse que o seu valor ultrapassava o do ouro e da prata. E visto que a obtivemos honestamente, façamos dela um uso proveitoso, sem exibi-la e sem despertar a inveja dos nossos vizinhos. Já que os gênios a assustam tanto, vou tirá-la de sua vista e colocá-la onde eu possa encontrá-la quando eu quiser. Já do anel não tenho como ficar longe, pois sem ele você nunca mais me veria. Portanto, espero que você me dê permissão para mantê-lo e usá-lo sempre em meu dedo.

A mãe de Aladim respondeu que ele poderia fazer o que quisesse; de sua parte, ela não tinha nada a ver com aqueles gênios e nunca mais diria nada sobre eles.

Na noite seguinte, eles comeram tudo o que o gênio trouxera; e, no outro dia, Aladim, que não conseguia suportar a ideia de fome, colocou uma das travessas de prata sob o colete e saiu cedo para vendê-la. Dirigindo-se a um judeu que conheceu nas ruas, chamou-o de lado e, tirando o prato, perguntou-lhe se o compraria.

O astuto judeu pegou o prato, examinou-o e, assim que descobriu que era de boa prata, perguntou a Aladim o preço do item.

Aladim, que não estava acostumado a vender coisas, disse-lhe que confiaria em seu julgamento e honra para dizer o preço do objeto. O judeu ficou um tanto confuso com esse tratamento simples e duvidando que Aladim entendesse do material ou do quanto o objeto de fato valia, tirou uma moeda de ouro de sua bolsa e deu a ele, embora estivesse pagando um sexto do que aquilo realmente valia. Aladim, pegando o dinheiro com grande avidez, retirou-se com tanta pressa que o judeu, não contente com o quanto já havia lucrado, ficou irritado por não ter se aproveitado de sua ignorância que pensou em correr atrás dele para tentar obter algum troco pela peça de ouro, mas o menino correu tão rápido e tinha ido tão longe que seria impossível alcançá-lo.

Antes de Aladim voltar para casa, ele visitou um padeiro, comprou alguns pães, trocou seu dinheiro e, ao voltar, deu o resto para sua mãe, que foi e comprou comida suficiente para algum tempo. Assim viveram até que Aladim vendeu os doze pratos individualmente para o judeu pelo mesmo preço do primeiro, conforme a necessidade o pressionava. Depois da primeira vez, o judeu não se atreveu a lhe oferecer menos, por medo de perder um negócio tão bom. Depois de vender o último prato, recorreu à bandeja, que pesava dez vezes mais que os pratos, e a teria levado ao antigo comprador, mas era muito grande e pesada; portanto, foi obrigado trazê-lo à sua casa, onde, depois de examinar o peso da bandeja, depositou dez moedas de ouro. Aladim ficou muito satisfeito.

Depois que aquele dinheiro acabou, Aladim voltou a recorrer à lâmpada. Pegou-a nas mãos, procurou a parte onde a mãe tinha esfregado e a esfregou também. O gênio imediatamente apareceu e disse:

– O que você deseja? Estou à sua disposição como seu escravo e escravo de todos aqueles que têm essa lâmpada em suas mãos; eu e os outros escravos da lâmpada.

– Estou com fome – disse Aladim. – Traga-me algo para comer.

O gênio desapareceu e logo voltou com uma bandeja contendo o mesmo número de pratos cobertos de antes e desapareceu novamente.

Assim que Aladim percebeu que o dinheiro estava acabando, ele pegou um dos pratos e foi procurar o judeu. Mas, ao passar por uma loja de ourives, o homem que lá trabalhava o chamou e disse:

– Meu rapaz, imagino que você tenha algo para vender ao judeu, a quem vejo você visitar muitas vezes. Talvez você não saiba que ele é o maior trapaceiro! Eu lhe pagarei o valor correto pelo que tem para vender ou o encaminharei a outros mercadores que não o enganarão.

Essa oferta induziu Aladim a tirar o prato debaixo do colete e a mostrá-lo ao ourives. À primeira vista, ele percebeu que era feito da melhor prata e perguntou se ele havia vendido algo assim para o judeu. Aladim lhe disse que havia vendido doze pratos por uma moeda de ouro cada.

– Que vilão! – gritou o ourives. – Mas, meu filho, o que é passado não pode ser mudado. Ao mostrar-lhe o valor deste prato, que é da melhor prata que usamos em nossas lojas, vou deixar você ver o quanto o judeu trapaceou você.

O ourives pegou uma balança, pesou o prato e garantiu-lhe que seu prato valia sessenta moedas de ouro, oferecendo-se para pagar aquele valor imediatamente.

Aladim agradeceu por seu tratamento justo e nunca mais tentou negociar com outra pessoa.

Embora Aladim e sua mãe tivessem um tesouro inesgotável em sua lâmpada e pudessem ter tudo o que desejavam, eles viviam com a mesma frugalidade de antes, e o dinheiro pelo qual Aladim vendia os pratos e as bandejas era suficiente para mantê-los por algum tempo.

Durante esse intervalo, Aladim frequentou as lojas dos principais mercadores, onde eram vendidos tecidos de ouro e prata, linhos, seda e joias e, muitas vezes participando de suas conversas, adquiriu grande conhecimento do mundo. Conversando com joalheiros, descobriu que os frutos que havia colhido ao pegar a lâmpada eram, em vez de vidro colorido, pedras de valor inestimável; mas teve a prudência de não mencionar isso a ninguém, nem mesmo à mãe.

Um dia, enquanto Aladim caminhava pela cidade, ouviu os guardas ordenando ao povo que fechassem suas lojas e casas e ficassem dentro de casa enquanto a princesa Badroulbadour, a filha do sultão, fosse e voltasse da casa de banho.

Essa ordem despertou em Aladim um desejo ardente de ver o rosto da princesa. Assim, decidiu se esconder atrás da porta da casa de banho para que não pudesse deixar de ver o rosto dela.

Aladim não estava escondido há muito tempo quando a princesa chegou, assistida por uma grande multidão de senhoras e escravos que caminhavam de cada lado e atrás dela. Quando ela chegou a três ou quatro passos da porta do banho, tirou o véu e Aladim pôde ver seu rosto.

A princesa era de uma beleza notável; seus olhos eram grandes, vivos e brilhantes; seu sorriso era encantador; seu nariz impecável; sua boca pequena; seus lábios vermelhos. Portanto, não é de se surpreender que Aladim, que nunca antes tinha visto tal chama de encantos, ficou deslumbrado e encantado.

Depois que a princesa passou e entrou na casa de banho, Aladim deixou seu esconderijo e voltou para casa. A mãe percebeu que ele estava mais pensativo e melancólico do que de costume e perguntou o que havia acontecido para deixá-lo assim. Ele então contou à mãe toda a sua aventura e concluiu declarando:

– Amo a princesa mais do que posso expressar e estou decidido a pedir sua mão em casamento ao sultão.

A mãe de Aladim ouvia com surpresa o que seu filho lhe dizia, mas, ao ouvir falar de casamento, deu uma grande gargalhada.

– Ai, filho – disse ela –, no que você está pensando? Você deve estar louco para falar algo assim.

– Garanto-lhe, mãe – respondeu Aladim –, que não estou louco. Eu imaginei que você reprovaria a minha ideia, mas devo dizer-lhe, mais uma vez, que estou decidido a pedir a princesa em casamento. Tenho os escravos da lâmpada e do anel para me ajudar, e você sabe o quão poderosa é a ajuda deles. E tenho outro segredo para lhe contar: esses pedaços de vidros, que obtive das árvores do jardim do palácio subterrâneo, são, na verdade, joias de valor inestimável, próprias para os maiores monarcas. Todas as pedras preciosas de Bagdá juntas não podem ser comparadas às minhas em tamanho ou beleza. Estou certo de que, se as oferecer, o sultão consentirá. Você tem uma grande travessa de porcelana que seria bom para colocá-las. Traga-a e vejamos como ficarão, quando as tivermos arrumado de acordo com suas cores.

A mãe de Aladim trouxe a travessa de porcelana. Ele então tirou as joias das duas bolsas em que as guardara e as colocou em ordem, de acordo com sua cor. O brilho e o esplendor que emitiam durante o dia e a variedade de cores deslumbraram tanto os olhos da mãe quanto os do filho, que ficaram impressionados além da conta. A mãe de Aladim, encorajada ao ver aquelas joias preciosas, prometeu ir na manhã seguinte ao palácio do sultão.

Aladim se levantou antes do amanhecer, acordou sua mãe e a pressionou para que fosse ao palácio do sultão. A mãe de Aladim pegou a travessa de porcelana em que haviam colocado as joias no dia anterior, embrulhou-a em dois panos finos e partiu. Ao chegar aos portões do palácio, notou que o grão-vizir, os outros vizires e os mais ilustres senhores da corte haviam acabado de entrar e conseguiu entrar também, ficando um pouco à frente do sultão, do grão-vizir e dos grandes senhores, que se sentavam em conselho à sua direita e à sua esquerda. Várias causas foram levantadas, pleiteadas e julgadas, até o momento em que a reunião terminou e o sultão, levantando-se, dirigia-se ao seu aposento, assistido pelo grão-vizir.

A mãe de Aladim, vendo o sultão voltar aos seus aposentos e todas as pessoas partirem, julgou corretamente que ele não voltaria ao salão novamente naquele dia e resolveu ir para casa. Ao chegar, ela disse com muita simplicidade:

— Filho, eu vi o sultão, e estou certa de que ele também me viu, pois fiquei logo à frente dele, mas ele estava tão ocupado com todas aquelas pessoas que eu tive pena dele e me admirei com sua paciência. Por fim, creio que ele estava profundamente cansado, porque se levantou de repente e não quis ouvir aqueles que estavam esperando para falar com ele e foi embora, o que me agradou muito, pois já estava ficando cansada. Mas não se preocupe: irei novamente amanhã. Talvez o sultão não esteja tão ocupado, então.

Na manhã seguinte, ela se dirigiu ao palácio do sultão com o presente como no dia anterior, mas encontrou todos os portões fechados. Ela foi seis vezes depois, nos dias marcados, colocando-se sempre diretamente diante do sultão, mas teve tão pouco sucesso quanto na primeira manhã.

No sexto dia, porém, quando o sultão voltou para seu próprio aposento, disse ao seu grão-vizir:

— Eu tenho observado por algum tempo certa mulher que comparece com algo embrulhado em um pano todos os dias em que atendo o povo. Se essa mulher vier para a nossa próxima audiência, não deixe de chamá-la para que eu possa ouvir o que ela tem a dizer.

O grão-vizir respondeu abaixando a mão e, em seguida, levantando-a acima da cabeça, indicando que estava disposto a perdê-la se falhasse.

Na próxima audiência, quando a mãe de Aladim chegou e se colocou na frente do sultão como de costume, o grão-vizir imediatamente chamou o chefe dos guardas e, apontando para ela, pediu-lhe que a trouxesse perante o sultão. A velha imediatamente seguiu o homem e, ao chegar perante o sultão, abaixou a cabeça e permaneceu nessa postura, com os olhos no suntuoso tapete do salão, até que ele ordenasse que ela se levantasse.

Ele então disse a ela:

– Minha boa senhora, observei que você tem vindo aqui sempre, o que lhe traz até mim?

Com essas palavras, a mãe de Aladim se prostrou pela segunda vez e, quando se levantou, disse:

– Monarca dos monarcas, imploro que perdoe a ousadia do meu pedido e me prometa que irá me perdoar.

– Bem – respondeu o sultão –, eu a perdoarei, seja como for, e nenhum mal lhe acontecerá. Sobre o que se trata?

Depois que a mãe de Aladim tomou todas essas precauções, por medo da raiva do sultão, ela contou-lhe fielmente a missão que seu filho a confiara e o que o levou a fazer um pedido tão ousado, apesar de todas as suas objeções.

O sultão deu ouvidos a esse discurso sem demonstrar a menor raiva. Mas, antes de dar qualquer resposta, ele perguntou o que ela trouxera amarrado no pano. Ela pegou a travessa de porcelana que havia colocado aos pés do trono, desamarrou-a e a apresentou ao sultão.

O espanto e a surpresa do sultão ao ver tantas joias grandes, belas e valiosas reunidas no prato seriam impossíveis de explicar. Ele permaneceu por algum tempo perdido em admiração. Por fim, quando se recuperou, recebeu o presente das mãos da mãe de Aladim, dizendo:

– Que precioso! Que lindo!

Depois de admirar e manusear todas as joias, uma após a outra, ele se virou para seu grão-vizir e, mostrando-lhe a travessa, disse:

– Veja, admire, admire! E confesse que seus olhos nunca viram joias tão ricas e belas antes.

O vizir ficou encantado.

– Bem – continuou o sultão –, o que diz de tal presente? Não é digno da princesa, minha filha? E não devo concedê-la a alguém que a valoriza por um preço tão alto?

– Não posso deixar de admitir – respondeu o grão-vizir – que o presente é digno da princesa; mas imploro à vossa majestade que me conceda três meses antes de chegar a uma resolução final. Espero que, até lá, meu filho seja capaz de dar um presente mais nobre do que o deste tal Aladim, que é um estranho para sua majestade.

O sultão atendeu ao pedido e disse à senhora:

– Boa mulher, vá para casa e diga a seu filho que concordo com a proposta que você me fez; mas não posso casar a princesa, minha filha nos próximos três meses. Volte aqui quando esse prazo acabar.

A mãe de Aladim voltou para casa muito mais satisfeita do que esperava e contou ao filho com muita alegria a resposta condescendente que recebera da boca do próprio sultão e que ela deveria voltar lá em três meses.

Ao ouvir essa notícia, Aladim se considerou o mais feliz de todos os homens e agradeceu à sua mãe pelos sofrimentos que ela passou, já que o sucesso desse assunto era de tão grande importância para sua paz que ele contava os dias, as semanas e até mesmo as horas que passavam.

Uma noite, após dois meses desde sua visita, a mãe de Aladim, sem óleo em casa, saiu para comprar um pouco e encontrou uma comoção geral pelas ruas: as casas revestidas com flores, sedas e carpetes, e todos se esforçando para mostrar sua alegria. As ruas estavam cheias de guardas com roupas de cerimônia, montados em cavalos ricamente adornados, cada um com a presença de muitos lacaios. A mulher perguntou ao comerciante de óleo o que significava toda essa preparação de festa pública.

– De onde veio você, boa mulher – disse ele –, que não sabe que o filho do grão-vizir vai se casar com a princesa Buddir al Buddoor, a filha do sultão, esta noite? Ela logo voltará da casa de banho, e esses guardas que você está vendo devem acompanhá-la na cavalgada ao palácio, onde a cerimônia será solenizada.

A mãe de Aladim, ao ouvir essa notícia, correu para casa rapidamente.

– Filho! As belas promessas do sultão foram em vão. Esta noite o filho do grão-vizir vai se casar com a princesa Buddir al Buddoor.

Aladim ficou pasmo com a notícia. Ele se lembrou da lâmpada e do gênio que havia prometido obedecê-lo e, sem se entregar a palavras vãs contra o sultão, o vizir ou seu filho, ele decidiu tentar impedir o casamento.

Aladim entrou em seu quarto, pegou a lâmpada e, esfregando-a no mesmo lugar de antes, imediatamente o gênio apareceu e disse a ele:

– O que você deseja? Estou à sua disposição como seu escravo e escravo de todos aqueles que têm essa lâmpada em suas mãos; eu e os outros escravos da lâmpada.

– Ouça-me – disse Aladim. – Tu até agora me obedeceste, mas agora estou prestes a impor-te uma tarefa mais difícil. A filha do sultão, que me foi prometida como minha noiva, está se casando esta noite com o filho do grão-vizir. Traga os dois aqui para mim imediatamente assim que eles se retirarem para o quarto.

– Mestre – respondeu o gênio –, eu lhe obedecerei.

Aladim jantou com sua mãe como era seu costume, então foi para seu próprio quarto e sentou-se para esperar o retorno do gênio, de acordo com suas ordens.

Nesse meio tempo, as festividades em homenagem ao casamento da princesa foram realizadas no palácio do sultão com grande magnificência. As cerimônias foram finalmente concluídas, e a princesa e o filho do vizir retiraram-se para o quarto preparado para eles. Assim que entraram e dispensaram seus assistentes, o gênio, o fiel escravo da lâmpada, para grande espanto e alarme da noiva e do noivo, pegou a cama e a levou em um instante para o quarto de Aladim, onde a colocou no chão.

– Leve o noivo daqui – disse Aladim ao gênio – e mantenha-o prisioneiro até o amanhecer, depois volte com ele para cá.

Ao ser deixado a sós com a princesa, Aladim se esforçou para amenizar seus temores e explicou a ela a traição praticada pelo sultão, seu pai. Ele então se deitou ao lado dela, colocando uma cimitarra desenhada entre eles, para mostrar que estava determinado a garantir sua segurança e tratá-la com o maior respeito possível. Ao raiar do dia, o gênio apareceu na hora marcada, trazendo de volta o noivo, que tinha sido deixado imóvel e em transe na porta do quarto de Aladim durante a noite. Ao comando de Aladim, o gênio transportou o sofá, com a noiva e noivo nele, de volta ao palácio do sultão.

No mesmo instante em que o gênio colocou o sofá com a noiva e o noivo em seu próprio quarto, o sultão veio até a porta para oferecer seus votos de boa sorte à filha.

O sultão, tendo aberto a porta, foi para o lado da cama e beijou a princesa na testa, mas ficou extremamente surpreso ao vê-la parecer tão melancólica. Ela apenas lançou para ele um olhar triste, expressando grande aflição. Ele suspeitou que havia algo de estranho naquele silêncio, então foi imediatamente ao aposento da sultana, disse a ela em que estado ele havia encontrado a princesa e como ela o recebera.

– Senhor – disse a sultana –, irei vê-la. Ela não me receberá da mesma maneira.

A princesa recebeu sua mãe com suspiros, lágrimas e sinais de profundo abatimento. Por fim, ao insistir no dever de lhe contar todos os seus pensamentos, contou à mãe detalhadamente o que lhe acontecera durante a noite. A sultana então ordenou que a princesa guardasse a história para si, pois ninguém daria crédito a um relato tão estranho. O filho do grão-vizir, exultante com a honra de ser genro do sultão, manteve o silêncio de sua parte, e os acontecimentos da noite não prejudicaram as festividades do dia seguinte, em contínua celebração pelo casamento real.

Quando a noite chegou, a noiva e o noivo foram novamente atendidos em seus aposentos com as mesmas cerimônias da noite anterior. Aladim, sabendo que assim seria, já havia dado suas ordens ao gênio da lâmpada e, assim que ficaram sozinhos, sua cama foi removida da mesma maneira misteriosa da noite anterior. Tendo passado a noite da mesma maneira desagradável, foram transportados pela manhã novamente ao palácio do sultão. Mal tinham sido recolocados em sua câmara quando o sultão veio trazer seus cumprimentos à filha. A princesa já não podia esconder dele o tratamento infeliz a que fora submetida e contou-lhe tudo o que acontecera, como já havia relatado à sua mãe.

O sultão, ao ouvir aquele relato estranho, consultou o grão-vizir e, ao ficar sabendo que seu filho tinha sido submetido por uma força invisível a um tratamento ainda pior, ele decidiu declarar o casamento cancelado, e todas as festividades, que ainda durariam vários dias, foram revogadas e encerradas.

Essa mudança repentina na mente do sultão deu origem a várias especulações e relatos. Ninguém além de Aladim conhecia o segredo do gênio e ele o guardou com o mais escrupuloso silêncio. Nem o sultão nem o grão-vizir, que haviam se esquecido de Aladim e de seu pedido, pensaram que ele tivesse alguma participação nas estranhas aventuras que aconteceram com a noiva e o noivo.

No mesmo dia em que expiraram os três meses contidos na promessa do sultão, a mãe de Aladim foi novamente ao palácio e ficou no mesmo lugar. O sultão a reconheceu novamente e instruiu seu vizir para que a trouxesse à sua presença.

Depois de se curvar diante dele, ela respondeu:

— Senhor, venho ao fim dos três meses para pedir-lhe o cumprimento da promessa que fez ao meu filho.

O sultão não havia levado o pedido da mãe de Aladim a sério, muito menos imaginava que ouviria sobre o assunto novamente. Ele, portanto, aconselhou-se com seu vizir, que sugeriu que o sultão deveria vincular ao casamento tais condições que ninguém na condição humilde de Aladim poderia cumprir. Seguindo a sugestão do vizir, o sultão respondeu à mãe de Aladim:

— Boa mulher, é verdade que os sultões devem cumprir a sua palavra, e cumprirei a minha, fazendo seu filho feliz no casamento com a princesa, minha filha. Mas como não posso casá-la sem mais provas de que seu filho é capaz de sustentá-la em Estado Real, você pode dizer a ele que cumprirei minha promessa assim que ele me enviar quarenta bandejas de ouro maciço, cheias do mesmo tipo de joias que você já me deu de presente, carregadas por igual número de escravos, todos vestidos magnificamente. Nessas condições, lhe concederei a mão da minha filha em casamento. Portanto, boa mulher, vá e diga-lhe isso, e eu esperarei até que você me traga sua resposta.

A mãe de Aladim se afastou novamente do trono do sultão e foi embora. No caminho para casa, ela riu consigo mesma da imaginação tola do filho. Ela pensou: "Onde ele conseguirá tantas bandejas de ouro grandes e pedras preciosas para enchê-las? Está totalmente fora de alcance e acredito que desta vez ele não ficará muito satisfeito com o pedido".

Ao chegar em casa, ela contou a Aladim todas as circunstâncias de seu encontro com o sultão e as condições com que ele consentiu o casamento.

– O sultão espera sua resposta imediatamente – disse ela, e então acrescentou, rindo:

– Eu acredito que ele pode esperar sentado!

– Não exatamente – respondeu Aladim. – Esta exigência é uma mera ninharia e não será um obstáculo ao meu casamento com a princesa. Vou me preparar imediatamente para satisfazer seu pedido.

Aladim retirou-se para seu próprio quarto e convocou o gênio da lâmpada, exigindo que ele preparasse e apresentasse imediatamente o presente, antes que o sultão encerrasse sua audiência matinal, de acordo com os termos que havia prescrito. O gênio professou sua obediência ao dono da lâmpada e desapareceu. Em pouco tempo, um séquito de quarenta escravos apareceu em frente à casa em que Aladim morava. Cada escravo carregava na cabeça uma bacia de ouro maciço, cheia de pérolas, diamantes, rubis e esmeraldas.

Aladim então se dirigiu à sua mãe:

– Senhora, por favor, não perca tempo. Antes que o sultão levante, gostaria que voltasse ao palácio com este presente, como o dote exigido para a princesa, para que ele possa julgar por minha diligência e exatidão do desejo ardente e sincero que tenho de obter para mim a honra dessa aliança.

A mãe de Aladim então deu início à procissão, e a cidade inteira se encheu de multidões encantadas por aquele espetáculo tão grandioso. O porte gracioso, a forma elegante e a maravilhosa semelhança de cada escravo, caminhando no mesmo ritmo, o brilho de seus cintos de joias e o brilho das pedras preciosas em seus turbantes despertaram a maior admiração dos espectadores. Como tiveram que passar por várias ruas para chegar ao palácio, todo o percurso foi cercado de espectadores. Na verdade, nada tão belo e brilhante jamais fora visto no palácio do sultão, e as vestes mais ricas dos emires de sua corte não deviam ser comparadas às roupas caras desses escravos, que eles supunham ser reis.

O sultão, ao ser informado de sua aproximação, ordenou que eles entrassem. Depois que todos entraram e formaram um semicírculo diante do trono do sultão, os escravos colocaram as bandejas de ouro no tapete e se curvaram, tocando o tapete com a testa. Então, levantando-se novamente, os escravos destamparam as bandejas, e então ficaram com os braços cruzados sobre o peito.

Nesse meio tempo, a mãe de Aladim avançou ao pé do trono e, tendo-se curvado, disse ao sultão:

— Senhor, meu filho sabe que este presente está muito abaixo do que a princesa Buddir al Buddoor merece, mas espera, no entanto, que sua majestade o aceite e fará com que tudo seja agradável para a princesa, porque ele se esforçou para se conformar às condições que o senhor impôs.

O sultão, admirando aquelas riquezas, respondeu sem hesitar às palavras da mãe de Aladim:

— Vá e diga a seu filho que o espero de braços abertos para recebê-lo.

Assim que a mãe de Aladim se foi, o sultão pôs fim à audiência. Levantando-se de seu trono, ele ordenou que as ajudantes da princesa viessem e carregassem as bandejas para o aposento de seu futuro marido, onde ele iria examiná-las com ela.

Nesse meio tempo, a mãe de Aladim chegou em casa e deu a boa notícia ao filho:

— Meu filho — disse ela —, você pode ficar feliz. O sultão declarou que você se casará com a princesa Buddir al Buddoor. Ele espera ansioso por você.

Aladim, extasiado com a notícia, não respondeu à mãe, mas retirou-se para o seu quarto. Lá ele esfregou sua lâmpada, e o gênio obediente apareceu.

— Gênio — disse Aladim —, leve-me imediatamente para uma casa de banho e forneça-me o manto mais rico e magnífico já usado por um monarca.

Assim que as palavras saíram de sua boca, o gênio o tornou, assim como a si mesmo, invisível, e o transportou para uma casa de banho feita do mais fino mármore de todos os tipos de cores e lá ele foi despido, sem ver por quem, em um magnífico e amplo salão. Ele foi então bem esfregado e lavado com várias águas perfumadas. Depois de passar por vários graus de calor, ele se tornou um homem bem diferente do que era antes. Sua pele estava clara como a de uma criança, seu corpo leve e livre e, quando voltou para o salão, ele encontrou, em vez de sua própria vestimenta pobre, uma túnica, cuja magnificência o surpreendeu. O gênio ajudou-o a se vestir e transportou-o de volta para seu quarto, onde perguntou se ele tinha algum outro desejo.

— Sim — respondeu Aladim. — Traga-me um cavalo que supere em beleza e bondade o que há de melhor nos estábulos do sultão. Forneça também vinte escravos, tão ricamente vestidos quanto aqueles que levaram o presente para o sultão, para andar ao meu lado e me seguir, e mais vinte para irem antes de mim em duas fileiras. Além desses, traga para minha mãe seis escravas para atendê-la, tão ricamente vestidas como qualquer uma das escravas da princesa Buddir al Buddoor, cada uma vestindo roupas adequadas para acompanhar qualquer sultana. Eu também quero dez mil moedas de ouro em dez bolsas. Vá e apresse-se.

Assim que Aladim deu essas ordens, o gênio desapareceu, mas logo voltou com o cavalo, os quarenta escravos, dez dos quais carregavam cada um uma bolsa contendo dez mil moedas de ouro, e seis escravas, cada uma carregando na cabeça um diferente vestido para a mãe de Aladim, embrulhado em um pedaço de tecido prateado.

Ele apresentou as seis escravas à mãe, dizendo que eram suas escravas e que os vestidos que trouxeram eram para uso dela. Das dez bolsas, Aladim pegou quatro, que deu à mãe, dizendo-lhe que eram para suprir o necessário. As outras seis ele deixou nas mãos dos escravos que os trouxeram, com a ordem de lançá-las aos punhados entre o povo quando eles fossem para o palácio do sultão. Por último, ordenou que os seis escravos que carregavam as bolsas marchassem à sua frente, três à direita e três à esquerda.

Aladim então dispensou o gênio e, imediatamente montando em seu cavalo, começou sua marcha e, embora nunca tivesse montado a cavalo antes, apareceu de forma tão esplendorosa que o cavaleiro mais experiente poderia ficar com inveja. A multidão inumerável de pessoas pelas quais ele passava o aclamava, especialmente toda vez que os seis escravos que carregavam as bolsas jogavam punhados de ouro para a população.

Na chegada de Aladim ao palácio, o sultão ficou surpreso ao vê-lo mais rica e magnificamente vestido do que ele mesmo e ficou impressionado com sua boa aparência e educação, que eram tão diferentes do que ele esperava no filho de alguém tão humilde como a mãe de Aladim. Ele o abraçou com todas as demonstrações de alegria e, quando ele já ia cair a seus pés, segurou-o pela mão e o fez sentar-se perto de seu trono. Ele logo depois o conduziu, em meio ao som de trombetas, a um jantar com grandes senhores da corte.

Após a festa, o sultão mandou chamar o chefe cadi e ordenou-lhe que redigisse um contrato de casamento entre a princesa Buddir al Buddoor e Aladim. Quando o contrato foi fechado, o sultão perguntou a Aladim se ele ficaria no palácio e completaria as cerimônias do casamento naquele mesmo dia.

– Senhor – disse Aladim –, embora grande seja minha impaciência em aceitar a honra concedida a mim por sua majestade, peço-lhe que me permita primeiro construir um palácio digno de receber a princesa, sua filha. Rogo-lhe que me conceda terreno suficiente perto de seu palácio, e eu o terei concluído no menor prazo possível.

O sultão atendeu ao pedido de Aladim e o abraçou novamente. Depois disso, despediu-se com tanta polidez como se o jovem tivesse sido criado e sempre tivesse vivido na corte.

Aladim voltou para casa da mesma forma que tinha vindo, em meio às aclamações do povo, que lhe desejava toda a felicidade e prosperidade. Assim que desmontou do cavalo, retirou-se para seu próprio quarto, pegou a lâmpada e convocou o gênio como de costume, que professou sua lealdade.

– Gênio – disse Aladim –, construa para mim um palácio adequado para receber a princesa Buddir al Buddoor. Que seus materiais sejam feitos de nada menos que pórfiro, jaspe, ágata, lápis-lazúli e o mais fino mármore. Que suas paredes sejam de ouro maciço e tijolos de prata, colocados alternadamente. Que cada frente contenha seis janelas, e deixe que as treliças delas (exceto uma, que deve ser deixada inacabada) sejam enriquecidas com diamantes, rubis e esmeraldas, de modo que excedam tudo visto no mundo. Que haja um átrio interno e outro externo em frente ao palácio e um amplo jardim; mas, acima de tudo, providencie um tesouro seguro e encha-o de ouro e prata. Que haja também cozinhas e depósitos, estábulos cheios dos melhores cavalos, com seus estribeiros e cavalariços, e equipagens de caça, oficiais, criados e escravos, tanto homens quanto mulheres, para formar um séquito para a princesa e para mim. Vá e execute meus desejos.

O sol estava se pondo quando Aladim deu esses comandos ao gênio. Na manhã seguinte, ao raiar do dia, o gênio se apresentou e, tendo obtido o consentimento de Aladim, transportou-o em um momento para o palácio que ele havia construído. O gênio o conduziu por todos os aposentos, onde encontrou oficiais e escravos, vestidos de acordo com sua patente e os serviços para os quais foram nomeados. O gênio então mostrou a ele o tesouro, que foi aberto por um tesoureiro, no qual Aladim viu grandes vasos de tamanhos diferentes, empilhados até o topo com dinheiro, espalhados por toda a câmara. O gênio então o levou aos estábulos, onde estavam alguns dos melhores cavalos do mundo, e os cavalariços ocupavam-se em enfeitá-los; dali eles foram para os depósitos, que estavam cheios de todas as coisas necessárias, tanto de alimentos quanto de decoração.

Aladim examinou cada parte do palácio e particularmente o salão com as vinte e quatro janelas. Ele disse:

— Gênio, há uma coisa faltando: um bom tapete para a princesa para andar do palácio do sultão ao meu. Providencie um imediatamente.

O gênio desapareceu, e Aladim viu o que desejava aparecendo em um instante. O gênio então voltou e o carregou para sua casa.

Quando os carregadores do sultão vieram abrir os portões, eles ficaram surpresos ao descobrir o que, onde antes era um jardim desocupado, havia um palácio magnífico, com um tapete esplêndido estendendo-se até o palácio do sultão. Eles contaram as estranhas notícias ao grão-vizir, que informou o sultão.

– Deve ser o palácio que dei permissão que Aladim construísse para a minha filha. Ele quis nos surpreender e vamos ver o que ele conseguiu fazer em apenas uma noite.

Aladim, ao ser conduzido pelo gênio para sua própria casa, pediu à sua mãe que fosse até a princesa Buddir al Buddoor e lhe dissesse que o palácio estaria pronto para sua recepção à noite. Pouco depois de sua chegada aos aposentos da princesa, o próprio sultão entrou e ficou surpreso ao ver que a mulher que sempre tivera uma aparência humilde estava mais rica e suntuosamente vestida do que sua própria filha. Isso elevou sua opinião sobre Aladim, entendendo que o jovem cuidava muito de sua mãe e compartilhava com ela suas riquezas e honras.

Pouco depois de sua partida, Aladim, montado em seu cavalo e acompanhado por seu séquito de magníficos assistentes, deixou para sempre sua casa paterna e foi para o palácio com a mesma pompa da véspera. Também não se esqueceu de levar consigo a lâmpada maravilhosa – à qual devia toda a sua sorte – nem de usar o anel que lhe foi dado como talismã.

O sultão entreteve Aladim com a maior magnificência e, à noite, na conclusão das cerimônias de casamento, a princesa despediu-se de seu pai. Quatrocentos dos jovens pajens do sultão carregavam tochas de cada lado, o que, junto com as iluminações dos palácios do sultão e de Aladim, tornava-o claro como o dia. A princesa, acompanhada por suas servas, prosseguiu pelo tapete, que se estendia do palácio do sultão ao de Aladim.

Ao chegar, encontrou Aladim pronto para recebê-la na entrada e conduziu-a a um grande salão, iluminado por um número infinito de velas de cera, onde um nobre banquete foi servido. Os pratos eram de ouro maciço e continham as iguarias mais delicadas. Os vasos, as bacias e as taças também eram de ouro e de primoroso acabamento, e todos os outros ornamentos e enfeites do salão correspondiam a essa exibição. A princesa, deslumbrada por ver tantas riquezas reunidas em um só lugar, disse a Aladim:

– Eu pensei, príncipe, que nada no mundo era tão bonito quanto o palácio do sultão, meu pai, mas a visão deste salão por si só é suficiente para mostrar que eu estava errada.

Terminada a ceia, um grupo de bailarinas entrou, e dançaram e cantaram ao mesmo tempo versos de louvor à noiva e ao noivo. Por volta da meia-noite, a mãe de Aladim conduziu a noiva ao aposento nupcial, e ele logo foi ao seu encontro.

Na manhã seguinte, os atendentes de Aladim se apresentaram para vesti-lo e trouxeram-lhe outra roupa, tão rica e magnífica quanto a do dia anterior. Ele então ordenou que um dos cavalos fosse aprontado, montou nele e foi, cercado por uma grande tropa de escravos, ao palácio do sultão para suplicar que fosse a um banquete no palácio da princesa, assistido por seu grão-vizir e todos os senhores de sua corte. O sultão consentiu com prazer, levantou-se imediatamente e, precedido pelos principais oficiais de seu palácio e seguido por todos os grandes senhores de sua corte, acompanhou Aladim.

Quanto mais o sultão se aproximava do palácio de Aladim, mais ele ficava impressionado com sua beleza. Ao entrar no corredor e ver as janelas, enriquecidas com diamantes, rubis, esmeraldas e todas grandes pedras perfeitas, ele ficou completamente surpreso e disse a seu genro:

– Este palácio é uma das maravilhas do mundo. Onde, além daqui, encontraremos paredes feitas de ouro maciço e prata, com diamantes, rubis e esmeraldas compondo as janelas? Mas me surpreende que um salão desta magnificência tenha uma de suas janelas incompleta e inacabada.

– Senhor – respondeu Aladim –, a omissão foi intencional, já que gostaria que você tivesse a glória de terminar este salão.

– Aceito sua gentil intenção – disse o sultão – e começarei o trabalho imediatamente.

Ele então chamou os melhores ourives e joalheiros da região.

– Mandei chamá-los para colocar esta janela com a maior perfeição possível. Examinem-na bem e completem o trabalho o mais rápido possível.

Os joalheiros e ourives examinaram as vinte e três janelas com grande atenção e, depois de se consultarem para saber o que cada uma poderia fornecer, voltaram e se apresentaram diante do sultão. O principal joalheiro assumiu a responsabilidade de falar pelos demais e disse:

– Senhor, estamos todos dispostos a exercer nosso máximo cuidado e diligência para obedecê-lo, mas nem todos nós juntos conseguiríamos fornecer joias suficientes para uma obra tão grande.

– Tenho mais joias do que o necessário – disse o sultão. – Venham ao meu palácio e vocês poderão escolher as que melhor servirem para esse trabalho.

Quando o sultão voltou ao palácio, ordenou que trouxessem suas joias, e os joalheiros levaram uma grande quantidade, principalmente aquelas que Aladim lhe dera de presente, que logo usaram, sem grande avanço no trabalho. Eles voltaram várias vezes para mais, e em um mês não haviam terminado a metade de seu trabalho. Em suma, eles usaram todas as joias que o sultão possuía e pediram mais emprestadas ao vizir, mas ainda assim o trabalho não estava nem pela metade.

Aladim, que sabia que todos os esforços do sultão para deixar aquela janela como as outras foram em vão, mandou chamar os joalheiros e ourives e não apenas ordenou que desistissem de seu trabalho, como ordenou que desfizessem o que haviam começado e que levassem todas as suas joias de volta ao sultão e ao vizir. Eles desfizeram em poucas horas o que havia levado seis semanas e se retiraram, deixando Aladim sozinho no corredor. Ele pegou a lâmpada que carregava consigo, esfregou-a e logo o gênio apareceu.

— Gênio — disse Aladim —, eu ordenei que você deixasse uma das vinte e quatro janelas deste corredor imperfeita, e você executou minhas ordens exatamente; agora eu gostaria que você a deixasse como as outras.

O gênio desapareceu imediatamente. Aladim saiu do corredor e, voltando logo em seguida, encontrou a janela como desejava, exatamente como as outras.

Nesse meio tempo, os joalheiros e ourives dirigiram-se ao palácio e foram levados à presença do sultão, quando o joalheiro chefe entregou as pedras preciosas que trouxera. O sultão perguntou se Aladim havia lhes dado alguma razão para retirá-las. Ao ouvir a resposta de que nenhuma ordem havia sido dada, o sultão ordenou que um cavalo fosse trazido e, montando nele, cavalgou para o palácio de seu genro, com alguns poucos atendentes a pé, para perguntar o motivo de a conclusão da janela haver sido interrompida.

Aladim o encontrou no portão e, sem dar qualquer resposta às suas indagações, conduziu-o ao grande salão, onde o sultão, para sua grande surpresa, descobriu que a janela, antes imperfeita, estava agora igual às outras. A princípio, ele achou que estava errado e examinou as duas janelas de cada lado, e depois todas as vinte e quatro; mas quando se convenceu de que a janela que vinha sendo feita pelos ourives há tanto tempo ficara pronta tão facilmente, ele abraçou Aladim e o beijou na testa.

— Meu filho — disse ele —, que homem incrível você é por fazer coisas tão surpreendentes sempre em um piscar de olhos! Não há ninguém semelhante a você no mundo! Quanto mais o conheço, mais eu o admiro.

O sultão voltou ao palácio e depois disso ia frequentemente à janela para contemplar e admirar o maravilhoso palácio de seu genro.

Aladim não se confinava em seu palácio, mas ia às vezes a uma mesquita, às vezes a outra, para orar ou visitar o grão-vizir ou os principais senhores da corte. Cada vez que ele saía, fazia com que dois escravos andassem ao seu lado a cavalo e atirassem punhados de dinheiro entre o povo enquanto ele passava pelas ruas e praças. Essa generosidade rendeu a ele o amor e as bênçãos do povo, assim, era comum que eles jurassem fazer de tudo para defendê-lo. Assim, Aladim, embora prestasse todo o respeito ao sultão, conquistou, com seu comportamento afável e liberalidade, o afeto do povo.

Aladim havia se comportado dessa maneira vários anos, quando o mago africano, que durante alguns anos se afastara de suas lembranças, decidiu confirmar se ele morrera, como supunha, na caverna subterrânea ou não. Depois de ter recorrido a um longo curso de cerimônias mágicas e consultado os astros para averiguar o destino de Aladim, ficou surpreso ao saber que ele, em vez de morrer na caverna, havia fugido e estava vivendo no esplendor real com a ajuda do gênio da lâmpada maravilhosa!

No dia seguinte, o mago partiu e viajou com a maior pressa para a capital da China, onde, ao chegar, alojou-se em um palácio.

Ele logo ficou sabendo sobre a riqueza, a caridade, a felicidade e o esplêndido palácio do príncipe Aladim. Ele viu aquele tecido maravilhoso e sabia que ninguém, exceto os gênios, os escravos da lâmpada, poderiam ter realizado tais maravilhas e, irritado, voltou para onde estava alojado.

Ao retornar, ele recorreu à geomancia[1] para descobrir onde estava a lâmpada – se Aladim a carregara consigo ou onde a deixara. O resultado de sua consulta informou-o, para sua grande alegria, que a lâmpada estava no palácio.

– Bem – disse ele, esfregando as mãos de alegria –, terei a lâmpada e farei com que Aladim volte a ser insignificante como antes.

No dia seguinte, o mago soube pelo superintendente-chefe do cã onde se hospedava que Aladim havia saído há três dias em uma expedição de caça que duraria oito dias. O mago não quis saber de mais nada e bolou seu plano imediatamente: foi a um latoeiro e pediu uma dúzia de lâmpadas de cobre. O dono da loja disse-lhe que não tinha tantas consigo, mas, se tivesse paciência até ao dia seguinte, ele conseguiria entregar a quantidade total. O mago concordou e pediu que ele tomasse cuidado para que fossem todas bonitas e bem polidas.

No dia seguinte, o mago pediu as doze lâmpadas, pagou ao homem o preço combinado, colocou-as em uma cesta

1. Método de adivinhação que interpreta marcas no chão ou os padrões formados por punhados de solo, rochas ou areia lançados.

pendurada em seu braço e foi diretamente ao palácio de Aladim. Ao se aproximar, ele começou a gritar:

– Quem quer trocar lâmpadas velhas por novas?

Enquanto ele passava, uma multidão de crianças se juntou e começou a zombar dele, imaginando que somente um louco ou um tolo poderia se oferecer para trocar lâmpadas novas por velhas.

O mago africano ignorou o escárnio, as vaias e tudo o que diziam e continuou a gritar:

– Quem quer trocar lâmpadas velhas por novas?

Ele repetiu isso tantas vezes, dando voltas ao redor do palácio, que a princesa, que estava então no corredor das vinte e quatro janelas, ouvindo o homem gritar algo e vendo uma grande multidão aglomerando-se ao redor dele, enviou uma de suas escravas para saber o que estava acontecendo.

A escrava voltou, rindo tanto que a princesa a repreendeu.

– Senhora – respondeu a escrava, ainda rindo –, quem pode deixar de rir de um velho com uma cesta no braço, cheia de belas lâmpadas novas, pedindo para trocá-las por velhas? Ele mal consegue se mexer, de tanta gente ao seu redor zombando dele.

Outra escrava, ouvindo isso, disse:

– Falando nisso, eu não sei se a princesa sabe, mas há uma velha lâmpada em uma prateleira no banheiro do príncipe Aladim. Acredito que ele não lamentará se encontrar uma nova em seu lugar. Se a princesa quiser, ela pode ter o prazer de testar se este velho é tão bobo a ponto de dar uma lâmpada nova por uma velha, sem levar nada pela troca.

A princesa, que desconhecia o valor da lâmpada e os esforços que Aladim tinha para mantê-la segura, entrou na brincadeira e mandou uma escrava pegá-la e fazer a troca. A escrava obedeceu, saiu do salão e, assim que chegou aos portões do palácio, viu o mago africano, chamou-o e, mostrando-lhe a velha lâmpada, disse:

– Dê-me uma lâmpada nova em troca desta.

O mago logo reconheceu que se tratava da lâmpada que ele desejava. Não poderia haver outra semelhante neste palácio, onde cada utensílio era de ouro ou prata. Ele a tirou ansiosamente da mão da escrava e, após guardá-la, ofereceu-lhe sua cesta e pediu-lhe que escolhesse a que mais gostava. A escrava escolheu uma e a levou para a princesa e, assim que ela partiu, as crianças voltaram a gritar, ridicularizando a loucura do mago.

O mago africano não ficou mais perto do palácio, nem gritou mais: "quem quer trocar lâmpadas novas por lâmpadas velhas?", mas fez o melhor para chegar até seu cã. Tendo conseguido seu objetivo, ele se livrou das crianças e da turba.

Assim que ele saiu da vista dos dois palácios, começou a correr nas ruas menos frequentadas. Não tendo mais necessidade de carregar suas lâmpadas, ele deixou tudo em um lugar onde ninguém o via; em seguida, descendo uma rua ou duas, ele caminhou até chegar a um dos portões da cidade e seguiu seu caminho pelos subúrbios, que eram muito extensos. Ele então finalmente chegou a um local solitário, onde parou até a escuridão da noite, que era o momento mais adequado para o projeto que ele tinha em mente.

Quando escureceu, ele tirou a lâmpada do peito e a esfregou. Logo, o gênio apareceu e disse:

— O que você quer? Estou à disposição para lhe obedecer como seu escravo e escravo de todos aqueles que têm a lâmpada em suas mãos; tanto eu quanto os outros escravos da lâmpada.

— Eu lhe ordeno que me transporte imediatamente, junto com o palácio que você e os outros escravos da lâmpada construíram nesta cidade, bem como com todas as pessoas nele, para a África.

O gênio não respondeu, mas, com a ajuda dos outros gênios, os escravos da lâmpada, transportou imediatamente ele e o palácio, inteiros, para o local que o mago desejava.

Na manhã seguinte, quando o sultão, de acordo com o costume, foi contemplar e admirar o palácio de Aladim, ficou espantado ao perceber que não sabia onde estava. Ele não conseguia compreender como um palácio tão grande, que ele tinha visto claramente todos os dias por alguns anos, pudesse desaparecer tão rápido e não deixar o menor vestígio para trás. Em sua perplexidade, ele ordenou que o grão-vizir fosse enviado em uma expedição.

O grão-vizir, que secretamente não gostava muito de Aladim, sugeriu que o palácio havia sido construído por magia e que Aladim havia feito de sua excursão de caça uma desculpa para a remoção de seu palácio com a mesma rapidez com que tinha sido erguido. Ele então induziu o sultão a enviar um destacamento de sua guarda e a fazer com que Aladim fosse preso como prisioneiro de Estado.

Quando seu genro foi trazido à sua presença, o sultão não quis ouvir uma palavra dele e ordenou que fosse condenado à morte. Contudo, o decreto causou tanto descontentamento entre o povo, cujo afeto Aladim havia garantido com suas doações e caridades, que o sultão, temeroso de uma insurreição, foi obrigado a voltar atrás em sua decisão.

Ao ser libertado, Aladim novamente se dirigiu ao sultão:

– Senhor, rogo-lhe que me informe qual crime eu cometi.

– Que crime! – respondeu o sultão. – Homem miserável, você não sabe? Siga-me e eu lhe mostrarei.

O sultão então levou Aladim para o aposento de onde ele costumava admirar seu palácio e disse:

– Você deve saber onde ficava o seu palácio. Olhe, preste atenção e me diga o que aconteceu com ele.

Aladim fez o que o sultão ordenara e ficou sem palavras ao notar a perda de seu palácio. Por fim, recuperando-se, ele disse:

– É verdade, eu não vejo o palácio, mas eu não tive nada a ver com isso. Eu imploro que você me dê quarenta dias e, se nesse tempo eu não puder restaurá-lo, vou oferecer minha cabeça para ser feita a sua vontade.

– Dou-lhe o tempo que você pede, mas, ao final dos quarenta dias, não se esqueça de se apresentar diante a mim.

Aladim saiu do palácio do sultão sentindo-se humilhado. Os senhores que o haviam cortejado nos dias de seu esplendor agora se recusavam a ter qualquer comunicação com ele. Por três dias, ele vagou pela cidade, estimulando a admiração e a compaixão da multidão, perguntando a todos que encontrava se tinham visto seu palácio ou se podiam contar-lhe algo a respeito. No terceiro dia, ele vagou pelo país e, ao se aproximar de um rio, caiu na margem com tanta violência que esfregou o anel que o mago lhe dera com tanta força, segurando-se na rocha para se salvar, que imediatamente apareceu o mesmo gênio que ele vira na caverna onde o mago o havia deixado.

– O que você deseja? – disse o gênio. – Estou à disposição para lhe obedecer como seu escravo e escravo de todos aqueles que têm o anel em seus dedos; tanto eu quanto os outros escravos do anel.

Aladim, agradavelmente surpreso com uma oferta de ajuda tão pouco esperada, respondeu:

– Gênio, mostre-me onde está agora o palácio que mandei construir ou transporte-o de volta para onde estava primeiro.

– Seu pedido não está totalmente em meu poder; sou apenas o escravo do anel, e não da lâmpada.

– Eu lhe ordeno, então – respondeu Aladim –, pelo poder do anel, que me transporte para o local onde fica meu palácio, em qualquer parte do mundo, seja ela qual for.

Mal essas palavras saíram de sua boca, o gênio o transportou para a África, no meio de uma grande planície, onde seu palácio ficava a uma pequena distância de uma cidade e, colocando-o exatamente sob a janela do aposento da princesa, deixou-o lá.

Ora, aconteceu que pouco depois de Aladim ter sido transportado pelo escravo do anel para a vizinhança de seu palácio, um dos atendentes da princesa Buddir al Buddoor, olhando pela janela, percebeu-o e imediatamente contou à sua patroa. A princesa, que não podia acreditar nas boas novas, correu para a janela e, vendo Aladim, abriu-a imediatamente. O barulho da janela abrindo fez Aladim virar a cabeça naquela direção e, ao perceber a princesa, ele a saudou, cheio de felicidade.

— Para não perder tempo — disse ela a Aladim —, mandei que lhe abrisse a porta privada; entre e suba.

A porta privada, que ficava logo abaixo do aposento da princesa, foi logo aberta, e Aladim foi conduzido para dentro da câmara. Seria impossível expressar a alegria de ambos ao se verem, depois de tão cruel separação. Depois de se abraçarem e derramarem lágrimas de alegria, eles se sentaram e Aladim disse:

— Eu imploro, princesa, que me diga o que aconteceu com uma velha lâmpada que ficava em uma prateleira em meu quarto.

— Ai de mim! — respondeu a princesa. — Eu temia que nosso infortúnio pudesse ser devido àquela lâmpada; e o que mais me entristece é que fui eu a causa disso. Fui tola o suficiente para trocar a lâmpada velha por uma nova e, na manhã seguinte, eu me encontrei neste lugar desconhecido, que me disseram ser a África.

– Princesa – disse Aladim, interrompendo-a –, você me explica tudo dizendo que estamos na África. Desejo que apenas me diga, se souber, onde está a velha lâmpada.

– O mago africano carrega-a cuidadosamente embrulhada no peito – disse a princesa. – Isso eu posso garantir a você, porque ele a puxou na minha frente e me mostrou em triunfo.

– Princesa – disse Aladim –, acho que encontrei os meios para libertá-la e recuperar a posse da lâmpada, da qual depende toda a minha prosperidade. Para executar esse projeto, é necessário que eu vá à cidade. Eu devo voltar ao meio-dia e então lhe direi o que deve ser feito por você para garantir o sucesso. Nesse ínterim, vou me disfarçar e peço que a porta privada possa ser aberta à primeira batida.

Ao sair do palácio, Aladim olhou em volta por todos os lados e, percebendo um camponês entrando nas plantações, correu atrás dele. Ao ultrapassá-lo, fez-lhe uma proposta para trocar de roupa, com o que o homem concordou. Depois de feita a troca, o camponês voltou a cuidar de seus negócios, e Aladim entrou na cidade vizinha. Depois de percorrer várias ruas, ele chegou à parte da cidade onde os comerciantes e artesãos tinham suas ruas particulares de acordo com seus negócios. Ele foi para a rua dos farmacêuticos e, entrando em uma das maiores e mais bem equipadas lojas, perguntou ao farmacêutico se ele tinha um determinado pó.

O farmacêutico, julgando pelas roupas de Aladim que ele fosse muito pobre, disse que ele tinha o que desejava, mas que era muito caro. Aladim puxou sua bolsa e, mostrando-lhe um pouco de ouro, pediu meia dose do pó, que o farmacêutico pesou e lhe deu, dizendo-lhe que o preço era uma moeda de ouro. Aladim colocou o dinheiro em suas mãos e correu para o palácio, onde entrou imediatamente pela porta privada.

Quando ele entrou no aposento da princesa, disse a ela:

– Princesa, você deve participar do plano que proponho para nossa libertação. Você deve superar sua aversão pelo mago e convidá-lo para participar de alguma celebração nos aposentos. Antes de partir, peça-lhe que troque os copos com você, o que ele, satisfeito com a honra que você lhe presta, fará com prazer, quando você deve dar-lhe o copo contendo este pó. Ao bebê-lo, ele adormecerá instantaneamente, e obteremos a lâmpada, cujos escravos farão todas as nossas ordens e devolverão o palácio à capital da China.

A princesa obedeceu ao máximo as instruções do marido. Ela fingiu estar contente com a visita do mago e convidou-o para permanecer por algum tempo, o que ele aceitou de boa vontade. No final da noite, durante a qual a princesa havia tentado de tudo para agradá-lo, ela pediu-lhe que trocasse o copo com ela e, dando o sinal, mandou trazer o copo com o pó, que ela deu ao mago. Em cumprimento à princesa, ele bebeu até a última gota e caiu sem vida no sofá.

A princesa levantou-se de sua cadeira e correu, muito feliz, para abraçar Aladim, mas ele a deteve e disse:

— Princesa, vá para o seu aposento e deixe-me ficar sozinho, enquanto me esforço para transportá-la de volta para a China com a mesma rapidez com que foi trazida de lá.

Quando a princesa, suas escravas e escravos saíram do corredor, Aladim fechou a porta e foi diretamente até o cadáver do mago. Abrindo seu colete, tirou a lâmpada, que estava cuidadosamente embrulhada, e esfregou-a, fazendo com que o gênio aparecesse novamente.

— Gênio — disse Aladim —, eu lhe ordeno que transporte este palácio instantaneamente para o lugar de onde ele foi trazido.

O gênio baixou a cabeça em sinal de obediência e desapareceu. Imediatamente o palácio foi transportado para a China, e sua remoção foi sentida apenas por dois pequenos choques, um quando foi levantado, outro quando foi recolocado, e ambos em um intervalo de tempo muito curto.

Na manhã seguinte à restauração do palácio de Aladim, o sultão estava olhando pela janela, lamentando o destino de sua filha, quando pareceu ter visto a vaga criada pelo desaparecimento do palácio ser novamente preenchida.

Ao olhar com mais atenção, ele se convenceu, sem sombra de dúvida, que aquele era o palácio de seu genro. A alegria e a satisfação sucederam à tristeza e à dor. Ele imediatamente ordenou que um cavalo fosse selado, no qual montou naquele instante e cavalgou prontamente até o palácio.

Aladim se levantou naquela manhã ao raiar do dia, vestiu uma das roupas mais magníficas de seu guarda-roupa e subiu para o corredor das vinte e quatro janelas, de onde percebeu o sultão se aproximando e o recebeu ao pé da grande escadaria, ajudando-o a descer do cavalo.

Ele conduziu o sultão ao aposento da princesa. O pai feliz a abraçou com lágrimas de alegria, e a princesa, por sua vez, deu testemunhos semelhantes de seu extremo prazer. Após um curto intervalo, dedicado a explicações mútuas de tudo o que havia acontecido, Aladim voltou a cair nas graças do sultão, que expressou seu pesar pela aparente rudeza com que o tratara.

– Meu filho – disse ele –, não fique triste pela forma como o tratei. Foi tudo devido ao meu amor paternal e, portanto, você deve perdoar os excessos que cometi.

– Senhor – respondeu Aladim –, não tenho a menor razão para reclamar de sua conduta, já que você não fez nada além do que seu dever exigia. Esse infame mago, o mais vil dos homens, foi a única causa de minha desgraça.

O mago africano, que falhou duas vezes em sua tentativa de prejudicar Aladim, tinha um irmão mais novo, que era um mago tão habilidoso quanto ele e o superava em maldade e ódio pela humanidade. Por acordo mútuo, eles se comunicavam uma vez por ano, por mais distintos que fossem seus locais de residência. O irmão mais novo, não tendo recebido como de costume sua comunicação anual, preparou-se para consultar os astros e verificar como estava o irmão. Ele, assim como seu irmão, sempre carregava consigo o material necessário para praticar a geomancia. Assim sendo, ele preparou a areia e desenhou as figuras. Ao examinar o cristal planetário, ele descobriu que seu irmão havia sido envenenado e não estava mais vivo. Descobriu também que a pessoa que o havia envenenado morava na China e tinha origem humilde, embora fosse casado com a princesa, filha do sultão.

O mago resolveu imediatamente vingar a morte do irmão e partiu para a China, onde, depois de cruzar planícies, rios, montanhas, desertos e um longo trecho do país sem demora, chegou ao seu destino. Ele ouviu todas as pessoas de renome na cidade falando sobre uma mulher chamada Fátima, que vivia isolada, e sobre os milagres que ela fazia. Como ele imaginava que essa mulher pudesse ser útil para ele no plano que havia feito, pediu para ser informado mais especificamente quem era aquela mulher santa e que tipo de milagres ela realizava.

– O quê! – disse a pessoa a quem ele se dirigiu. – Você nunca viu ou ouviu falar dela? Ela é admirada por toda a cidade, por seu jejum, sua austeridade e sua vida exemplar. Exceto segundas e sextas-feiras, ela nunca sai de sua pequena casa e, nos dias em que ela vem à cidade, consegue curar qualquer pessoa que esteja doente.

Tendo averiguado o lugar onde ficava o eremitério dessa mulher santa, o mago foi lá à noite e cravou um punhal em seu coração, matando-a. De manhã, ele tingiu o rosto do mesmo tom que o dela, vestiu-se com suas roupas e, pegando seu véu, o grande cinto que ela usava na cintura e o cajado, foi direto para o palácio de Aladim.

Assim que o povo viu quem imaginavam ser a santa mulher, eles se reuniram em torno dela em uma grande multidão. Alguns imploraram sua bênção, outros beijaram sua mão e outros, mais reservados, beijaram apenas a bainha de sua vestimenta. Outros, sofrendo de doenças, curvaram-se para que ela impusesse as mãos sobre eles, o que o mago fez, murmurando algumas palavras em forma de oração, fingindo tão bem que acreditaram que quem estava ali era mesmo a mulher santa.

Ele chegou finalmente à praça em frente ao palácio de Aladim. A multidão e o barulho eram tão grandes que a princesa, que estava no corredor das vinte e quatro janelas, ouviu e perguntou o que estava acontecendo. Uma de suas escravas disse-lhe que havia uma grande multidão reunida em torno da santa mulher para ser curada de doenças pela imposição de suas mãos.

A princesa, que há muito ouvia falar dessa mulher santa, mas nunca a tinha visto, desejava muito ter uma conversa com ela. O oficial chefe, percebendo isso, disse-lhe que era fácil trazer a mulher até ela se ela desejasse. A princesa disse que desejava vê-la, e ele imediatamente enviou quatro escravos ao encontro da mulher sagrada.

Assim que a multidão viu os atendentes do palácio, abriu caminho, e o mago, percebendo também que eles estavam vindo em sua direção, avançou para encontrá-los, muito feliz por ver seu plano dando certo.

– Mulher santa – disse um dos escravos –, a princesa deseja vê-la e nos mandou buscá-la.

– Que honra! – respondeu a falsa Fátima. – Estou às ordens.

E então o mago seguiu os escravos até o palácio.

A falsa Fátima fez a sua reverência, e a princesa disse:

– Minha boa senhora, tenho uma coisa a pedir e que não me deves recusar. Fique comigo para que me ensine sua maneira de viver e que eu possa aprender com o seu bom exemplo.

– Princesa – disse a falsa Fátima –, rogo-te apenas que não peças nada que me afaste de minha fé.

– Isso não será um problema – respondeu a princesa. – Tenho muitos quartos desocupados; você poderá escolher o que mais gosta e terá liberdade para fazer suas devoções como se estivesse em sua própria casa.

O mago, que nada mais desejava do que entrar no palácio, onde seria muito mais fácil executar seu plano, logo concordou com o pedido.

– Princesa – disse ele –, ainda que uma mulher miserável como eu possa ter escolhido renunciar à pompa e grandeza deste mundo, não me atrevo a me opor à vontade e aos comandos de uma princesa tão piedosa e caridosa.

Diante disso, a princesa, levantando-se, disse:

– Venha comigo. Eu lhe mostrarei os quartos vagos que tenho para que você possa escolher o que mais gosta.

O mago seguiu a princesa e, de todos os aposentos que ela lhe mostrou, escolheu o pior, dizendo que a princesa era bondosa demais e que só aceitava o pedido para agradá-la.

Depois, a princesa quis trazê-lo de volta ao grande salão para fazê-lo jantar com ela, mas o mago, considerando que então seria obrigado a mostrar o rosto, que sempre tivera o cuidado de ocultar com o véu de Fátima, e temendo que a princesa descobrisse que ele não era quem dizia ser, implorou a ela seriamente que o desculpasse, afirmando a ela que nunca comia nada além de pão e frutas secas e desejando comer aquela refeição leve em seu próprio quarto.

A princesa atendeu seu pedido, dizendo:

– Você pode ser tão livre aqui, boa senhora, quanto se estivesse em sua casa. Vou pedir seu jantar, mas lembre-se de que a espero assim que terminar sua refeição.

Depois que a princesa jantou, voltou a procurar a falsa Fátima.

– Minha boa senhora – disse a princesa –, estou muito feliz em ver uma mulher tão sagrada como você, que vai conferir uma bênção a este palácio. Aliás, você gostou dele? O que acha desse salão?

Após esta pergunta, a falsa Fátima inspecionou o corredor de uma ponta a outra. Depois de examiná-lo bem, disse à princesa:

– Tanto quanto um ser tão solitário como eu, que não estou familiarizada com o que o mundo chama de belo, possa julgar, este salão é verdadeiramente admirável, só falta uma coisa.

– O quê? – exigiu a princesa. – Diga-me o que está faltando e providenciarei. De minha parte, eu sempre acreditei e ouvi dizer que não faltava nada, mas, seja lá o que acredita que esteja faltando, trarei imediatamente.

— Princesa — disse a falsa Fátima, com grande dissimulação —, perdoe-me a liberdade que tomei, mas a minha opinião é que, se um ovo de roca fosse pendurado no meio da cúpula, este salão não teria paralelo nos quatro quadrantes do mundo, e seu palácio seria a maravilha do universo.

— Minha boa senhora — disse a princesa —, o que é um roca e onde se pode conseguir um ovo?

— Princesa, é uma ave de tamanho extraordinário que habita o cume do Monte Cáucaso; o arquiteto que construiu o teu palácio pode arranjar-te uma.

Depois que a princesa agradeceu à falsa Fátima pelo que ela acreditava ser um bom conselho, conversou com ela sobre outros assuntos; mas ela não conseguia se esquecer do ovo do roca e resolveu pedir a Aladim que o providenciasse na próxima vez que ele visitasse seus aposentos. Ele a visitou no decorrer daquela noite e, logo depois de entrar, a princesa assim se dirigiu a ele:

— Sempre acreditei que nosso palácio era o mais belo, magnífico e completo do mundo, mas agora sei que falta um ovo de roca pendurado no meio da cúpula.

— Princesa — respondeu Aladim —, providenciarei um, porque não há nada que eu não faça por você.

Aladim deixou a princesa Buddir al Buddoor naquele momento e subiu para o corredor de vinte e quatro janelas, onde, tirando de seu peito a lâmpada, a qual, após o perigo a que havia sido exposto, sempre carregava consigo, esfregou-a e o gênio apareceu imediatamente.

— Gênio — disse Aladim —, eu te ordeno, em nome desta lâmpada, que traga um ovo de roca para ser pendurado no meio da cúpula do corredor do palácio.

Assim que Aladim pronunciou essas palavras, o salão estremeceu como se estivesse prestes a cair, e o gênio disse em voz alta e terrível:

— Não é suficiente que eu e os outros escravos da lâmpada tenhamos feito tudo por você, mas você, por uma ingratidão inédita, ordena que eu traga meu mestre e o pendure meio desta cúpula? Esta tentativa merece que você, a princesa e o palácio sejam imediatamente reduzidos a cinzas, mas você será poupado porque este pedido não vem diretamente de você. Quem fez o pedido é o irmão do mago africano, que se encontra agora no seu palácio, disfarçado no hábito da santa mulher Fátima, a quem ele assassinou. Por sugestão dele, a sua mulher fez este pedido terrível. O seu propósito é matá-lo; portanto, cuide-se.

Após essas palavras, o gênio desapareceu.

Aladim resolveu imediatamente o que fazer. Ele voltou ao aposento da princesa e, sem dizer uma palavra do que havia acontecido, sentou-se e queixou-se de uma grande dor que, de repente, tomara conta de sua cabeça. Ao ouvir isso, a princesa contou-lhe como havia convidado a sagrada Fátima para ficar com ela e que agora ela estava no palácio; e, a pedido do príncipe, ordenou que ela fosse convocada imediatamente.

Quando a falsa Fátima chegou, Aladim disse:

– Venha cá, boa senhora. Estou feliz em vê-la aqui em um momento tão afortunado. Estou atormentado por uma violenta dor de cabeça e peço sua ajuda, e espero que não me recuse a cura que você concede às pessoas aflitas.

Dizendo isso, ele se levantou, mas manteve a cabeça abaixada. A falsa Fátima avançou em sua direção, com a mão o tempo todo em uma adaga escondida no cinto sob o vestido. Observando isso, Aladim arrancou a arma de sua mão, perfurou-o no coração com sua própria adaga e o empurrou no chão.

– Meu querido príncipe, o que você fez? – exclamou a princesa, surpresa. – Você matou a mulher santa!

– Não, minha princesa – respondeu Aladim, emocionado. – Eu não matei Fátima, mas um vilão que teria me assassinado se eu não o tivesse impedido. Este homem perverso – acrescentou, revelando o rosto dele – é o irmão do mago que tentou a nossa ruína. Ele estrangulou a verdadeira Fátima e disfarçou-se com suas roupas com a intenção de me matar.

Aladim então explicou como o gênio havia lhe contado esses fatos e como ela e o palácio haviam escapado da destruição por pouco, devido à sugestão traiçoeira que a levou a fazer tal pedido.

Assim, Aladim foi libertado da perseguição dos dois irmãos, que eram magos. Em poucos anos, o sultão morreu de velhice e, como não deixou filhos homens, a princesa Buddir al Buddoor o sucedeu, e ela e Aladim reinaram juntos por muitos anos, deixando um ilustre e gigante legado.

A casa mal-assombrada de Bagdá

(de *As mil e uma noites*. Richard Francis Burton, *1885*)

Havia uma vez, na cidade do Cairo, um comerciante que tinha um grande estoque de dinheiro, barras de ouro, pedras preciosas, joias, terras e casas incontáveis. Seu nome era Hasan, o Joalheiro, o homem de Bagdá. Além disso, Alá o abençoara com um filho de perfeita beleza e brilho: bochechas rosadas, rosto bonito e bem apessoado, a quem chamou de Ali do Cairo e a quem ele ensinou o Alcorão, a ciência, a elocução e outros ramos da educação, até que ele se tornou proficiente em todos os tipos de conhecimento. Ali estava sob as mãos de seu pai no comércio, mas, depois de um tempo, Hasan adoeceu, até que ele teve certeza de que morreria em breve. Então, o homem de Bagdá chamou seu filho.

– Ó meu filho, na verdade, este mundo é passageiro, mas o próximo mundo dura. Cada alma experimentará a morte e agora, ó meu filho, minha morte está próxima e desejo encarregar-te de uma ordem, a qual, se obedeceres, permanecerás em segurança e prosperidade até que encontres Deus Todo-Poderoso. Contudo, se não a seguires, haverá muito cansaço e tu te arrependerás de ter transgredido os meus pedidos.

Ali respondeu:

– Ó meu pai, como não ouvir as tuas palavras e agir de acordo com a tua ordem, visto que estou obrigado pela lei da fé a obedecer-te e te dar ouvidos?

O pai prosseguiu:

– Ó meu filho, deixo-te terras, casas, bens e riquezas, de modo que, se gastasse quinhentos dinares a cada dia, nada perderias. Mas, ó meu filho, viva no temor de Alá e siga o Seu Escolhido, Mustafá (a quem Ele pode abençoar e preservar!), nas suas leis. Sê constante nas esmolas e na prática de beneficência e esteja perto de homens de valor, piedade e erudição, e não te esqueças de cuidar dos pobres e necessitados e evitar a avareza e a mesquinhez, assim como a conversa dos ímpios ou de caráter suspeito. Olha bondosamente para teus servos e família, e também para tua esposa, pois ela está grávida de ti. Felizmente, Alá te concederá uma descendência virtuosa através dela.

E ele não parou de exortá-lo dessa forma, chorando e dizendo:

– Ó meu filho, eu imploro a Alá, o Generoso, o Senhor do glorioso Empíreo, que te livre de todas as dificuldades que possam envolver você e lhe conceda Seu alívio imediato!

– Ó meu pai, estou tocado por tuas palavras, pois são como as palavras de alguém que se despede – disse o filho, com pesar.

– Sim, meu filho, estou ciente da minha condição: não te esqueças do meu encargo – respondeu o comerciante.

Então ele começou a repetir as duas profissões da fé e a recitar versículos do Alcorão, até que a hora derradeira chegasse, quando ele disse:

– Chega-te a mim, ó meu filho.

Então Ali se aproximou e ele o beijou. O pai suspirou e sua alma deixou seu corpo, indo para a misericórdia de Deus Todo-Poderoso. Com isso, uma grande dor caiu sobre Ali. O clamor de lamento surgiu em sua casa, e os amigos de seu pai o consolaram. Então ele se encarregou de preparar o corpo para o enterro e fez um esplêndido funeral. Eles carregaram seu esquife para o lugar de oração e oraram por ele; depois foram para o cemitério, onde o enterraram e recitaram sobre ele as partes do sublime Alcorão. Depois disso, eles voltaram para casa, consolaram o filho do homem morto e seguiram cada um o seu caminho. Além disso, Ali rezava a oração de sexta-feira por seu pai e fazia leituras do Alcorão todos os dias. Toda sexta-feira ele visitava o túmulo de seu pai. Ele não parou de orar e recitar por algum tempo, até que um dia seus companheiros, filhos dos mercadores, vieram até ele e saudaram-no, dizendo:

– Até quando este teu luto te fará negligenciar teus negócios e a companhia de teus amigos? Na verdade, isto só te deixará cansado, e teu corpo sofrerá muito.

Nesta mesma visita, Iblis, o Maldito, estava presente. Os amigos recomendaram que o jovem os acompanhasse ao bazar, e Iblis não desistiu até convencer o rapaz.

– Monte em sua mula e cavalgue conosco até o jardim, para que possamos nos consolar lá e que tua tristeza e desânimo possam afastar-se de ti.

Ali montou na mula e, levando seu escravo, foi com eles para o jardim em questão. Ao entrarem, um dos jovens foi preparar a refeição matinal. Eles comeram, alegraram-se e conversaram até o fim do dia, quando voltaram cada um para a sua casa, onde passaram a noite. Assim que amanheceu, eles visitaram Ali novamente e o convidaram para ir a outro jardim. Lá, eles comeram, riram e um amigo dele trouxe um vinho à mesa. Ali perguntou o que era aquilo.

– Isto é o que dissipa a tristeza e ilumina a alegria – responderam.

Os amigos não cansaram até convencerem o jovem a beber com eles. Eles ficaram sentados bebendo e conversando até o final do dia, quando cada um voltou para casa. Mas quanto a Ali, o Cairene, ele ficou tonto com o vinho e nesta situação foi até o encontro de sua esposa, que lhe disse:

– O que te aflige? Estás tão estranho.

– Estávamos nos divertindo hoje, quando um de meus companheiros nos trouxe bebida, então nós bebemos e comecei a me sentir tonto – respondeu.

– Ó meu senhor, diga-me, você se esqueceu da promessa que fez a teu pai e se misturou com pessoas encrenqueiras?

– Eram os filhos dos mercadores. Eles não são pessoas suspeitas, apenas amantes da alegria.

Ali continuou a levar esse tipo de vida com seus amigos, dia após dia, indo de um lugar para outro, festejando com eles e bebendo.

No final do mês, Ali descobriu que havia gasto uma grande soma de dinheiro, mas Iblis, o Amaldiçoado, iludiu-o e disse-lhe:

– Na verdade, deverias gastar todos os dias uma quantia semelhante com a sua felicidade.

Assim, ele não levou em conta as despesas e continuou vivendo dessa forma por três anos, enquanto sua esposa protestava e o lembrava da responsabilidade que seu pai lhe pedira, mas ele não deu ouvidos às palavras dela e continuou saindo até gastar todo o dinheiro disponível que tinha. Então, ele começou a vender suas joias e seu ouro até tudo acabar. Ali vendeu suas casas, campos, fazendas e jardins, um após o outro, até que todos eles também se foram e ele não tinha mais nada além do cortiço em que vivia. Falido, ele arrancou até o mármore e a madeira da casa e os vendeu para gastar o dinheiro com festas, até que os materiais também acabaram. Por fim, ele vendeu a casa e gastou o dinheiro da venda.

Depois disso, o homem que havia comprado a casa veio até ele e disse:

– Procura para ti um alojamento, pois eu preciso da minha casa.

Então ele pensou em si mesmo e, descobrindo que não precisava de uma casa, exceto de sua esposa, que lhe dera um filho e uma filha (ele não tinha mais um servo), alugou um quarto grande em um dos pátios miseráveis e ali passou a morar, depois de ter vivido com honra e luxo por tantos anos. Logo, ele mal tinha o que comer.

Disse sua esposa:

– Disto eu te avisei e te exortei a obedecer à ordem de teu pai, e tu não queres ouvir-me, mas não há Majestade e não há Poder, exceto em Alá, o Glorioso, o Grande! O que nossos filhos comerão? Levanta-te então, volta aos teus amigos, os filhos dos mercadores: provavelmente eles te darão alguma coisa com que possamos viver hoje.

Então ele se levantou e foi pedir ajuda a seus amigos um por um, mas todos esconderam seus rostos e proferiram palavras injuriosas e nada mais. Ali voltou para o encontro de sua esposa e disse-lhe:

– Eles não me deram nada.

A esposa de Ali, o Cairene, vendo seu marido voltar de mãos vazias, saiu para implorar a seus vizinhos os meios para se manterem vivos e encontrou uma mulher, a quem ela tinha conhecido em dias anteriores. Quando ela entrou em sua casa e viu seu estado, a mulher a recebeu gentilmente e disse:

– O que aconteceu com você?

Então ela lhe contou tudo o que seu marido havia feito, e a outra respondeu:

– Bem, seja bem-vinda! Tudo o que você precisar, busque-me, sem preço.

– Alá retribua abundantemente!

Então sua amiga deu-lhe tanta provisão quanto seria suficiente para ela e sua família por um mês inteiro, e ela pegou tudo e voltou para seu alojamento. Quando o marido a viu, ele chorou e perguntou:

– De onde você tirou isso?

– Peguei isso de uma mulher, pois, quando eu disse a ela o que tinha acontecido conosco, ela não me falhou em nada, mas disse: "Busque-me sempre que precisar de algo".

Em seguida, seu marido respondeu:

– Já que você tem tudo isso, vou me dirigir a um lugar que tenho em minha mente; talvez Alá Todo-Poderoso nos traga alívio.

Com essas palavras, ele se despediu dela, beijou seus filhos e saiu, sem saber para onde deveria ir, e continuou caminhando até que chegou a Bulak, onde viu um navio prestes a zarpar para Damietta. Lá ele conheceu um homem, que conhecia se pai. O homem lhe perguntou:

– Para onde vais agora?

– Para Damietta, tenho amigos lá, a quem eu pediria favores os visitaria e depois voltaria – Ali respondeu.

O homem o levou para casa e o tratou com honra. Então, fornecendo-lhe mantimentos para a viagem e dando-lhe algumas moedas de ouro, embarcou-o a bordo do navio com destino a Damietta. Quando chegaram lá, Ali não sabia nem para onde ir, mas, enquanto ele caminhava, um comerciante o viu, teve pena dele e o carregou para sua casa.

Lá ele morou por um tempo, depois do qual perguntou a si mesmo: "Quanto tempo ficarei nas casas de outras pessoas?". Em seguida, ele deixou a casa do comerciante e caminhou até o cais, onde, após procurar um pouco, encontrou um navio pronto para partir para a Síria. Seu anfitrião hospitaleiro lhe deu provisões e o embarcou no navio. Ali alcançou, no devido tempo, a costa da Síria, onde desembarcou e viajou até entrar em Damasco. Enquanto ele caminhava pela grande via pública, eis que um homem gentil o viu e o levou para sua casa, onde ele ficou por um tempo até que, um dia, indo para o exterior, viu uma caravana prestes a partir para Bagdá e pensou em viajar para lá com eles.

Em seguida, voltou ao seu anfitrião e, despedindo-se dele, partiu com a caravana.

Desta vez, Alá (exaltado seja Ele!) inclinou o coração de um dos mercadores a seu favor, de modo que o levou consigo, e Ali comeu e bebeu com ele, até que chegaram a Bagdá. Lá, porém, salteadores de estrada caíram sobre a caravana e levaram tudo o que tinham. Poucos mercadores escaparam. Estes fugiram cada um para um local de refúgio separado; mas Ali partiu para Bagdá, onde chegou ao pôr do sol, quando os porteiros estavam para fechar os portões, e disse-lhes:

— Deixem-me entrar com vocês.

Eles o admitiram e perguntaram:

— De onde vens e para onde vais?

— Eu sou um homem da cidade do Cairo e tenho comigo mulas carregadas de mercadorias, escravos e servos. Eu os abandonei para procurar um lugar onde depositar minhas mercadorias, mas, enquanto eu viajava, caiu sobre mim uma companhia de bandidos, que levaram minha mula e minhas mercadorias.

O guarda do portão rogou-lhe com honra e pediu-lhe que tivesse bom ânimo, dizendo:

– Fica conosco esta noite e pela manhã te levaremos a um lugar digno de ti.

Então ele procurou no bolso e, encontrando um dinar daqueles que lhe foram dados pelo comerciante de Bulak, entregou-o a um dos porteiros, dizendo:

– Pegue isto, troque-o e traga-nos algo para comer.

O homem pegou o dinheiro e foi ao mercado, onde comprou pão e carne cozida para Ali. Ora, no dia seguinte, um dos guardas o levou a um certo comerciante de Bagdá, a quem contou a mesma história. Então, o comerciante o levou para sua loja e, além disso, mandou buscar em sua casa um esplêndido traje de sua própria roupa para ele e o carregou para o Hammam. Ele levou Ali para sua casa, onde lhe ofereceu a refeição matinal.

Então ele disse a um de seus escravos:

– Ho Mas'dd, leve este teu senhor: mostre a ele as duas casas, dê a ele a chave e volte.

Ali foi com o escravo, até chegarem a uma rua onde ficavam três casas lado a lado, recém-construídas e ainda assim fechadas. Ele abriu a primeira, e Ali olhou para ela. Depois, fez o mesmo com a segunda e então o escravo perguntou a Ali:

– De qual te darei a chave?

– A quem pertence a casa grande?

— A nós!

— Abra para que eu possa vê-la — disse Ali.

— Você não tem nada que fazer lá — contestou o escravo.

— Por quê?

— Porque ela é mal-assombrada, e ninguém que entra lá sai vivo. Nem ousamos abrir a porta para tirar os cadáveres. Por esta razão, meu senhor abandonou a casa e disse que nunca mais a daria a ninguém.

— Abra-a para que eu possa vê-la! — disse Ali, pensando que era exatamente aquilo que ele procurava: passar a noite em algum lugar e morrer em seguida para ter paz.

O escravo abriu a porta. Ali entrou e encontrou uma casa esplêndida, sem igual.

— Não terei outra senão esta casa; dê-me a sua chave — insistiu Ali.

— Não te darei esta chave até que consulte meu mestre — replicou o escravo.

O comerciante egípcio disse:

— Não me hospedarei em lugar nenhum, a não ser na casa grande.

Quando o comerciante ouviu isso, ele também disse a Ali:

— Ó meu senhor, você não precisa desta casa.

— Não me hospedarei em lugar nenhum, a não ser na casa grande, pois não me importo com as tolices que vocês estão dizendo.

— Deixe por escrito que não sou responsável por nada se algo acontecer a ti — disse então o comerciante.

— Assim seja — concordou Ali.

Então o comerciante foi buscar um assessor da corte e, tomando o reconhecimento prescrito, entregou-lhe a chave com a qual Ali entrou na casa. O comerciante enviou-lhe roupa de cama, que foi passada a ele por cima do muro, e foi embora. Em seguida, Ali saiu e, vendo no pátio interno um poço com um balde, desceu, tirou água e foi fazer as orações obrigatórias. Depois ficou sentado um pouco, até que o escravo lhe trouxesse a refeição da noite da casa de seu senhor, junto com uma lâmpada, uma vela, um castiçal, uma bacia e uma jarra. Depois disso, ele o deixou e voltou para casa.

Ali acendeu a vela, jantou à vontade e rezou a oração noturna. Então, ele pegou a cama e carregou-a para cima, onde encontrou um esplêndido salão, com teto e piso dourados e paredes revestidas de mármores coloridos. Ele estendeu sua cama lá, sentando-se e começou a recitar um pouco do Sublime Alcorão. Foi aí que ele ouviu alguém chamando por ele e perguntando:

— Ó Ali, ó filho de Hasan, diga-me, devo enviar-te o ouro?

— Onde está o ouro que tens de enviar? — respondeu Ali.

Mas ele mal havia falado quando moedas de ouro começaram a chover sobre ele, como pedras de uma catapulta, e isso não parou até que o salão estivesse cheio. Então, após a chuva de ouro, a voz disse:

— Liberta-me, para que eu possa seguir meu caminho, pois encerrei meu serviço e entreguei a ti o que me foi confiado a entregar-te.

– Eu te conjuro, por Alá, o Todo-Poderoso, que me diga a causa desta chuva de ouro.

A voz respondeu:

– Este é um tesouro que foi talismã para ti nos velhos tempos e, para cada um que entrasse na casa, costumávamos vir e dizer: "Ó Ali, ó filho de Hasan, devemos enviar-te o ouro?". A pessoa ficaria amedrontada e gritaria, e nós então desceríamos até ela, quebraríamos seu pescoço e iríamos embora. Contudo, quando tu vieste e te abordamos pelo teu nome e pelo de teu pai, dizendo: "Devemos te enviar o ouro?" e tu respondeste: "E onde está o ouro?", nós soubemos que você era o verdadeiro dono dele e o enviamos. Além disso, há ainda outro tesouro para você na terra de Al-Yaman e você faria bem em viajar até lá e buscá-lo. Agora eu gostaria que você me libertasse para que eu possa seguir meu caminho.

– Por Alá, eu não vou te libertar, até que me traga aqui o tesouro da terra de Al-Yaman! – respondeu Ali.

Disse a voz:

– Se eu o trouxer para ti, me libertarás?

– Sim – respondeu Ali.

– Jure para mim!

Então, Ali fez o juramento e a voz estava prestes a ir embora, quando ele lhe disse:

– Tenho outro pedido para você.

– Qual?

– Tenho mulher e filhos no Cairo. Você precisa trazê-los para mim, confortáveis e seguros.

– Eu os trarei a ti com uma comitiva de servos, junto com o tesouro de Al-Yaman, Inshallah!

A voz disse que conseguiria tudo em três dias e desapareceu.

Assim que amanheceu, Ali deu a volta no salão, procurando um lugar para armazenar o ouro, e viu na borda do estrado uma placa de mármore com um pino giratório. Ele girou o pino e a laje afundou, mostrando uma porta que ele abriu. Ao entrar, encontrou um grande armário, cheio de bolsas de coisas grosseiras cuidadosamente costuradas. Ele começou a tirar os sacos, enchê-los de ouro e guardá-los no armário, até que transportou para lá todo o ouro acumulado, fechou a porta e, girando o pino, a laje voltou ao seu lugar. Ali desceu e se sentou no banco atrás da porta. Logo, ouviu-se uma batida e, ao abrir a porta, encontrou o escravo do comerciante, que, vendo-o sentado confortavelmente, voltou apressado para seu mestre.

– Ó, meu senhor, o comerciante, que está hospedado na casa habitada pelos gênios, está vivo e bem e está sentado no banco atrás da porta.

O comerciante levantou-se alegremente e foi para a casa, para tomar café da manhã com Ali. Ao vê-lo, ele o abraçou e beijou, perguntando:

– Como Alá está te tratando?

Ali respondeu:

– Muito bem, dormi lá em cima no salão de mármore.

– Algo veio a ti ou viste alguma coisa estranha? – perguntou o comerciante.

– Não, recitei um pouco do Sublime Alcorão e dormi até de manhã, quando me levantei e, depois de orar, sentei-me no banco atrás da porta – respondeu Ali.

– Louvado seja Alá pela segurança!

Depois disso, o comerciante enviou a Ali escravos e utensílios domésticos. Eles varreram a casa de cima a baixo e a mobiliaram com móveis magníficos e quatro escravos continuaram lá para servi-lo, enquanto o resto voltou para a casa do senhor. Quando os mercadores ouviram falar dele, enviaram-lhe presentes de todos os tipos, até comida, bebida e roupas, e o levaram ao mercado, perguntando:

– Quando chegará a tua encomenda?

E ele respondeu:

– Em três dias ela estará aqui.

Quando o prazo terminou, o jinn do primeiro tesouro, a chuva dourada, veio até ele e disse:

– Vá em frente e encontre o tesouro que eu trouxe para ti de Al-Yaman, pois eu trago parte da riqueza na aparência de mercadorias caras.

O jinn então foi para o Cairo, encontrou a esposa e os filhos de Ali em uma terrível miséria, com péssimas roupas e famintos. Ele os carregou para fora da cidade e os vestiu com suntuosas vestes. Quando Ali ficou sabendo isso, levantou-se e dirigiu-se aos mercadores e disse-lhes:

– Levantem-se e saiam conosco da cidade, ao encontro da caravana que traz minha mercadoria.

– Ouvimos e obedecemos – responderam eles e, mandando buscar seus Harims, foram todos juntos e sentaram-se em um dos jardins da cidade.

Enquanto conversavam sentados, eis que uma nuvem de poeira se ergueu do coração do deserto e eles se aglomeraram para ver o que era. Logo perceberam que era um grupo de artilheiros que se aproximava. O chefe deles, então, chegou perto de Ali e, beijando sua mão, disse:

– Ó meu mestre, tínhamos o propósito de chegar ontem, mas estávamos com medo dos bandidos, então permanecemos em nossa estação por quatro dias, até que Alá Todo-Poderoso nos livrasse deles.

Em seguida, os mercadores montaram em suas mulas e avançaram com a caravana, até que a mulher e os filhos de Ali estivessem com eles. Os mercadores maravilhavam-se com o número de mulas carregadas de baús, enquanto as mulheres dos mercadores se maravilhavam com a riqueza dos trajes de sua esposa e as belas vestes de seu filho.

Eles não pararam até que chegaram à mansão, onde desceram e levaram as mulas e seus fardos ao meio do pátio. Em seguida, eles as descarregaram e armazenaram as mercadorias enquanto as esposas dos mercadores subiam com a família de Ali até o salão, que parecia um jardim luxuriante, repleto de móveis magníficos. Eles conversaram alegremente até o meio-dia, quando trouxeram a refeição do meio-dia: todos os tipos de carnes e doces dos melhores. Eles comeram e beberam comidas caras e depois se perfumaram com água de rosas. Então eles se despediram e foram para casa.

Quanto ao comerciante de Bagdá, o senhorio da casa, ele ficou com Ali e disse-lhe:

– Que os escravos e servos levem as mulas e o gado comum para uma das minhas outras casas, para descansar.

– Eles partirão novamente esta noite para um lugar assim.

Então ele lhes deu permissão para sair e acampar fora da cidade, para que pudessem começar sua jornada ao cair da noite. Mal acreditando que haviam sido dispensados, despediram-se dele e partiram para os subúrbios da cidade.

Ali e o dono da casa ficaram sentados juntos até que um terço da noite tivesse passado, quando então a conversa terminou e o comerciante voltou para sua casa e Ali foi ao encontro de sua família. Depois de saudá-los, disse:

– O que aconteceu vocês na minha ausência todo esse tempo?

Então a esposa contou a ele que haviam sofrido de fome e ele disse:

– Louvado seja Deus pela segurança! Como viestes?

– Ó, meu senhor, eu estava dormindo com meus filhos ontem à noite, quando de repente e inesperadamente alguém nos levantou do chão e voou conosco através do firmamento sem nos fazer mal, até que paramos em um lugar parecido com um acampamento árabe, onde vimos mulas carregadas. Então, perguntei-lhes: "Quem são vocês e o que são essas cargas? Onde estamos?". E eles responderam: "Somos os servos do comerciante Ali do Cairo, filho do comerciante joalheiro, que nos enviou para buscá-los em Bagdá". Perguntei: "Diga-me, estamos perto ou longe de Bagdá?" e eles responderam que estávamos perto. Então partimos e, quando amanheceu, nos encontramos contigo, sem ter sofrido qualquer dano.

– Quem te deu estas vestes? – perguntou Ali.

– O chefe da caravana abriu uma das caixas nas mulas e tirou estas roupas, vestiu a mim e a seus filhos cada um com uma roupa e depois trancou a caixa e me deu a chave, dizendo: "Cuide disso e entregue-a a seu marido". E aqui está ela.

Assim dizendo, ela deu a Ali a chave, e ele disse:

– Você sabe onde está o baú?

– Sim, eu sei.

Ele a levou até a despensa e mostrou-lhe as caixas, e ela gritou:

– Foi deste baú que as roupas foram tiradas!

Ali colocou a chave na fechadura e abriu a caixa, onde encontrou muitas vestes e as chaves de todas as outras caixas. Ele as pegou e começou a abri-las, uma após a outra, e festejar as pedras preciosas que elas continham, pedras que nenhum outro rei já havia tido.

Depois disso, ele as trancou novamente, pegou as chaves e voltou ao salão, dizendo à sua esposa:

– Como Alá é generoso!

Em seguida, levando-a para a entrada secreta, girou o pino e abriu a porta do armário, no qual eles entraram e ele mostrou o ouro que havia guardado ali.

– De onde veio tudo isso para ti? – perguntou ela.

– Veio a mim pela graça de meu Senhor. Quando a deixei, embarquei em Bulak para Damietta e encontrei lá um amigo que me encaminhou para Damasco.

Resumidamente, ele contou a ela tudo que tinha acontecido com ele, do primeiro ao último momento.

– Ó, meu senhor, tudo isso vem com a bênção e as orações de teu pai quando ele orava por ti, antes de sua morte, dizendo: "Rogo a Deus que não te lance em nenhum aperto, a não ser que Ele te conceda alívio imediato!". Louvado seja Deus Todo-Poderoso por ter te libertado e recompensado! Mas Deus sobre ti, ó meu senhor, não volte à prática de se associar com gente duvidosa. Teme a Deus (cujo nome seja exaltado!) tanto em privado como em público.

– Aceito teu conselho e imploro ao Todo-Poderoso que remova o perverso de nosso meio e nos estabeleça em Sua obediência e na observância da lei e prática de Seu Profeta, sobre quem haja bênçãos e paz!

Depois disso, Ali abriu uma loja para ele no bazar dos mercadores e, estocando-a com um pouco de joias e barras de ouro, sentou-se ali com seus filhos e criados. Logo ele se tornou o mais importante dos mercadores de Bagdá, e seu relato chegou ao rei daquela cidade, que enviou um mensageiro para ordenar sua presença, dizendo:

– Atenda à convocação do rei, que ordena sua presença.

– Eu ouço e obedeço – respondeu ele.

Imediatamente preparou seu presente: pegou quatro bandejas de ouro vermelho e, enchendo-as com joias e metais preciosos, como nenhum rei possuía, foi ao palácio e se apresentou diante do rei, beijou o chão entre suas mãos e desejou-lhe abundância de bens e glória com as palavras mais polidas que ele pôde proferir. Disse o rei:

– Ó mercador, alegres nossa cidade com a tua presença!

E Ali replicou:

– Ó, rei dos tempos, teu escravo te trouxe um presente e espera que ele seja aceito de teu favor.

Então ele colocou as quatro bandejas diante do rei, que as descobriu e, vendo que continham joias, cujo valor se igualava a tesouros em dinheiro, disse:

– Teu presente é aceito, ó comerciante.

Ali beijou suas mãos e foi embora. O rei chamou seus nobres e disse-lhes:

– Quantos reis buscaram a mão de minha filha em casamento?

– Muitos – responderam eles.

– Algum deles me deu algo semelhante a este presente?

– Nenhum, pois nenhum deles tem algo semelhante.

– Consultarei Alá Todo-Poderoso quanto a casar minha filha com este comerciante. O que vocês dizem?

– Seja como julgares melhor – responderam eles.

Em seguida, o rei ordenou a um servo que carregasse as quatro bandejas e, indo até sua esposa, colocou-as diante dela. Ao ver as joias, sua esposa percebeu que não pareciam com nada que ela possuía.

– De quem ganhaste isso? Por acaso de um dos reis que procuram tua filha em casamento?

– Não, eu ganhei de um comerciante egípcio, que recentemente veio a esta nossa cidade. Quando soube de sua vinda, mandei chamá-lo até nós, com a intenção de conhecê-lo. Ele obedeceu à nossa convocação e nos trouxe essas quatro bandejas, de presente, e eu vi que se trata de um belo jovem de aspecto digno e inteligente, quase como deveriam ser os filhos dos reis. Portanto, meu coração se inclinou a ele e achei que seria um marido digno. Então, mostrei o presente aos meus nobres, que concordaram comigo que nenhum dos reis se compara a esse comerciante. Mas e tu, o que dizes?

Ela respondeu:

– Ó, rei dos tempos, a ordem deste assunto está nas mãos de Alá e nas tuas, e tudo o que Alá quiser acontecerá.

– Se for da vontade Dele, vou casá-la com ninguém menos que este jovem.

O rei dormiu decidido e, na manhã seguinte, foi ao seu conselho e convocou Ali e o resto dos mercadores de Bagdá. Quando todos vieram, pediu-lhes que se sentassem. Então disse:

– Traga-me o Kazi do Conselho – e eles o trouxeram.

Então o rei disse a ele:

– Ó, Kazi, escreva o contrato de casamento entre minha filha e o comerciante Ali, o Cairene.

Mas Ali disse:

– Perdão, ó nosso senhor o sultão! Não convém que um comerciante como eu seja genro do rei.

– É minha vontade conceder este favor a ti.

Ali sentou-se e disse:

– Ó, rei dos tempos, tu me concedeste isso e, de fato, sinto-me honrado por tua generosidade, mas ouve uma palavra que tenho a dizer a ti!

– Diga e não tema.

– Já que é tua resolução augusta de casar tua filha, seria melhor casá-la com meu filho.

– Tens então um filho? – perguntou o rei.

– Sim – respondeu Ali.

– Que assim seja – disse o rei, e despachou um servo para buscar o filho de Ali, que veio e beijou o chão diante do rei, em atitude de respeito.

O rei olhou para ele e, vendo-o ainda mais formoso do que sua filha, disse-lhe:

– Qual é o teu nome, ó meu filho?

– Meu nome é Hasan, ó nosso senhor o sultão – respondeu o jovem.

Então o sultão ordenou:

– Escreva o contrato de casamento entre minha filha Husn al-Wujdd e Hasan, filho do comerciante Ali, o Cairene.

Ele escreveu o contrato de casamento entre eles, e o caso foi encerrado da melhor maneira. Na manhã seguinte, Ali foi ao conselho, onde o rei o recebeu com especial atenção e o sentou perto de si, dizendo:

– Pretendemos começar as festividades de casamento.

– Ó, nosso senhor o sultão, tudo o que tu consideras bom é, de fato, bom.

Então o sultão deu ordens para celebrar as festividades, e eles decoraram a cidade e realizaram um grande festival por trinta dias, com muita alegria. Por fim, Hasan, filho de Ali, foi até a princesa e apreciou sua beleza e encanto. Quando a rainha viu o marido de sua filha, ela sentiu afeto por ele. Então o rei ordenou que construísse para seu genro Hasan um palácio ao lado do seu; e construíram para ele, com toda a rapidez possível, um esplêndido palácio no qual ele passou a morar. Sua mãe costumava ficar com ele alguns dias e depois descer para sua própria casa.

Depois de algum tempo, a rainha disse a seu marido:

– Ó, rei dos tempos, a senhora mãe de Hasan não pode morar com seu filho e deixar o vizir, nem pode ficar com o vizir e deixar seu filho.

– Não te preocupes – respondeu o rei, e ordenou que edificassem um terceiro palácio ao lado daquele de Hasan.

O palácio foi construído em poucos dias e ele fez com que os bens do vizir fossem levados para lá, onde Ali e sua esposa passaram a morar. Agora os três palácios se comunicavam entre si, de modo que, quando o rei tivesse vontade de falar com o vizir à noite, ele iria até ele ou mandaria buscá-lo, e assim seria com Hasan, seu pai e sua mãe. O rei, o vizir e seu filho moraram próximos e felizes por algum tempo, até que o rei adoeceu.

Então, ele convocou os senhores de seu reino e disse-lhes:

– Sobreveio-me uma doença dolorosa, talvez mortal e, portanto, convoquei-os para consultá-los a respeito de um certo assunto, sobre o qual gostaria que me aconselhassem como vocês julgarem bem.

Eles perguntaram:

– Qual é o assunto do qual tu queres se aconselhar conosco, ó, rei?

– Estou velho e doente e temo pelo reino após minha partida por causa de nossos inimigos; então, gostaria que todos escolhêssemos alguém para que eu o proclame rei ainda vivo e para que vocês fiquem à vontade.

Diante disso, eles disseram:

– Todos nós aprovamos o marido de sua filha, Hasan, filho do vizir Ali, pois vimos sua inteligência e perfeito entendimento.

– Vocês realmente concordam com isso?

– Sim.

– Talvez todos vocês digam isso na minha frente, em respeito a mim, mas nas minhas costas dirão o contrário.

No entanto, todos eles responderam:

– Por Alá, nossa palavra é a mesma em público e em particular, e nós o aceitamos com franqueza e sinceridade de coração e de peito aberto.

– Já que o caso é esse, traga o Kazi da Lei Sagrada e todos os oficiais do reino diante de mim amanhã, e nós iremos resolver o assunto da melhor maneira.

– Ouvimos e obedecemos – responderam eles e, retirando-se, notificaram todos os doutores da lei e as principais autoridades dos emires. Assim, ao amanhecer, eles foram ao conselho e, tendo desejado e obtido permissão para entrar, saudaram o rei, dizendo:

– Aqui estamos todos na tua presença.

– Ó emires de Bagdá – respondeu o rei –, quem desejais ser rei sobre vós depois de mim para que eu possa coroá-lo durante a minha vida, diante da presença de todos vocês?

– Estamos de acordo com o marido de tua filha, Hasan, filho do vizir Ali.

– Se for assim, vão todos vocês e tragam-no aqui.

Então todos eles se levantaram e, dirigindo-se ao palácio de Hasan, disseram-lhe:

– Levante-se, venha conosco até o rei.

– Por quê? – perguntou ele.

– Por uma coisa que irá beneficiar a nós e a ti.

Então Hasan foi com eles até o rei e beijou o chão diante de seu sogro, que lhe disse:

– Senta-te, meu filho!

Ele se sentou e o rei continuou:

– Ó, Hasan, todos os emires te aprovaram e concordaram em te fazer rei depois de mim; e é meu propósito proclamá-lo enquanto ainda estou vivo.

Mas Hasan se levantou e, beijando o chão mais uma vez diante do rei, disse-lhe:

– Ó, nosso senhor o rei, entre os emires, há muitos que são mais velhos do que eu e de maior valor; portanto, dispensa-me desse dever.

Mas todos os emires gritaram, dizendo:

– Não consentimos, queremos que sejas rei sobre nós.

Hasan baixou a cabeça envergonhado diante do rei e de seu pai. Então disse o rei aos emires:

– Vocês todos o aceitam?

– Sim.

– Ó, Kazi – disse o rei –, redija um documento legal testificando que esses emires concordaram em tornar rei o marido de minha filha, Hasan.

O Kazi escreveu o ato e o tornou obrigatório para todos os homens. Assim, eles fizeram o juramento de fidelidade a Hasan. O rei fez o mesmo e ordenou-lhe que tomasse assento no trono da realeza. Então, todos eles se levantaram e beijaram as mãos do rei Hasan e o homenagearam, jurando lealdade a ele. O novo rei distribuiu justiça entre o povo naquele dia à moda da realeza e investiu os nobres do reino em esplêndidas vestes de honra.

Ao deixar o conselho, ele beijou as mãos do pai de sua esposa, que lhe falou assim:

– Ó, meu filho, olhe, você governa os vassalos no temor de Alá.

– Ó, meu pai, através de tuas orações por mim, a graça e a orientação de Alá virão a mim.

Ele entrou em seu próprio palácio e foi recebido por sua esposa, sua mãe e seus assistentes, que beijaram suas mãos e lhe deram alegria por sua conquista, dizendo:

– Seja este dia abençoado!

Em seguida, ele foi até seu pai e sua mãe, que se alegraram que Alá lhe houvesse concedido sua promoção à realeza, e seu pai o lembrou de tratar misericordiosamente seus súditos. Ele passou a noite em alegria e, na manhã seguinte, depois de fazer as orações obrigatórias terminando com os habituais capítulos curtos do Alcorão, ele subiu ao conselho, para o qual vieram todos os seus oficiais e dignitários. Ele passou o dia distribuindo justiça entre o povo, pedindo graciosidade e proibindo a indelicadeza e nomeando quem saía e quem ficava, até o fim do dia, quando o conselho se desfez, da melhor maneira, e todas as tropas se retiraram e cada um seguiu seu caminho.

Ele se levantou e se dirigiu ao palácio, onde viu que a doença de seu sogro pesava sobre ele e disse-lhe:

– Que nenhum mal te suceda!

Com isso, o velho rei abriu os olhos e disse:

– Ó, Hasan!

– Ao teu serviço, ó meu senhor.

– Minha hora derradeira está próxima: seja cuidadoso com sua esposa e sua mãe, e olhe, teme a Deus e honre seus pais. Admire a majestade do rei Requerente e tenha em mente que Ele ordena justiça e boas obras.

– Eu ouço e obedeço – respondeu o rei Hasan.

Depois disso, o velho rei demorou três dias e partiu para a misericórdia do Deus Todo-Poderoso. Assim, eles o levaram para fora e o envolveram e enterraram, e mantiveram sobre ele leituras do Alcorão, até o fim dos habituais quarenta dias. O rei Hasan, filho do vizir, reinou em seu lugar, e seus súditos se regozijaram com ele, e todos os seus dias foram alegres. Além disso, seu pai não deixou de ser seu chefe vizir, como seu braço direito, e ele convocou outro vizir, para ficar à sua esquerda. Seu reinado foi próspero e bem organizado, e ele viveu uma longa vida como rei de Bagdá. Alá o abençoou, pela filha do velho rei, com três filhos, que herdaram o reino depois dele, e eles moraram no consolo da vida e seus prazeres até que chegasse a eles o Destruidor de prazeres e o Separador de sociedades. E a glória seja dada Àquele que é eterno e em cujas mãos está o poder de anular e confirmar.

O astrólogo sapateiro

(de *As mil e uma noites*. Richard Francis Burton, 1885)

A fumaça dos vizinhos é que te cega.
Provérbio árabe

Na grande cidade de Isfahan, vivia o sapateiro Ahmed, um homem honesto e trabalhador, cujo desejo era passar pela vida em silêncio. Ele poderia ter feito isso se não tivesse se casado com uma bela esposa, que, embora tivesse concordado em aceitá-lo como marido, estava longe de se contentar com seu humilde estilo de vida.

Sittâra – esse era o nome da esposa de Ahmed – estava sempre criando esquemas tolos de riqueza e grandeza e, embora nunca os encorajasse, Ahmed era um marido apaixonado demais para negar as coisas que a faziam feliz. Um sorriso incrédulo ou um aceno de cabeça eram a única resposta dele aos seus devaneios e, assim, ela continuava convencida de que certamente estava destinada a uma grande fortuna.

Aconteceu uma noite, ainda com esse tipo de pensamento, que ela foi ao Hemmâm, onde viu uma senhora saindo vestida com um manto magnífico, coberta de joias e rodeada de servos. Aquela era a condição de vida que Sittâra sempre desejara e ela ansiosamente perguntou o nome da pessoa sortuda que tinha tantos servos e joias tão finas. Ela soube, então, que aquela mulher era a esposa do astrólogo oficial do rei. Com essa informação, ela voltou para casa. Seu marido a recebeu na porta, mas foi recebido com o cenho franzido, e nem todos os seus carinhos conseguiram tirar dela um sorriso ou uma palavra. Por várias horas, ela continuou em silêncio e em aparente sofrimento. Por fim, ela disse:

— Cesse suas carícias, a menos que você esteja pronto para me dar uma prova de que você realmente me ama.

— Que prova de amor — exclamou o pobre Ahmed — você pode desejar que eu não lhe darei?

— Largue sua profissão. É um comércio vil e baixo e nunca rende mais de dez ou doze dinares por dia. Vire astrólogo! Sua fortuna será feita, e terei tudo o que desejo e serei feliz.

— Astrólogo! — exclamou Ahmed. — Astrólogo! Você se esqueceu de quem eu sou? Um sapateiro, sem nenhum aprendizado? Como você quer que eu me engaje em uma profissão que requer tanta habilidade e conhecimento?

— Não penso nem me importo com suas qualificações — disse a esposa enfurecida.

— Tudo o que sei é que, se você não virar astrólogo imediatamente, estarei divorciada de você amanhã.

O sapateiro protestou, mas em vão. A figura da esposa do astrólogo, com suas joias e seus servos, havia tomado posse completa da imaginação de Sittâra. A noite toda isso a assombrou. Ela não sonhou com mais nada e, ao acordar, declarou que sairia de casa se o marido não atendesse aos seus desejos. O que o pobre Ahmed poderia fazer? Ele não era astrólogo, mas gostava muito da esposa e não suportava a ideia de perdê-la. Ele prometeu obedecer e, tendo vendido seu pequeno estoque, comprou um astrolábio, um almanaque astronômico e uma tabela dos doze signos do zodíaco.

Equipado com isso, ele foi ao mercado, gritando:

— Eu sou um astrólogo! Eu conheço o sol, a lua, as estrelas e os doze signos do zodíaco. Eu posso calcular natividades! Posso prever tudo o que vai acontecer!

Nenhum homem era mais conhecido do que Ahmed, o sapateiro. Uma multidão logo se reuniu em torno dele.

— O quê?! Amigo Ahmed — disse um —, você ficou louco de tanto trabalhar?

Essa e mil outras piadas assaltaram os ouvidos do pobre sapateiro, que, não obstante, continuou a exclamar que era astrólogo, tendo decidido fazer o que pudesse para agradar a sua bela esposa.

Acontece que o joalheiro do rei estava em apuros: ele estava em grande angústia, tendo perdido o rubi mais rico pertencente à coroa. Todas as buscas foram feitas para recuperar aquela joia inestimável, mas sem nenhum sucesso. Como o joalheiro sabia que não podia mais esconder do rei sua perda, ele esperava pela morte como algo inevitável. Nesse estado desesperador, enquanto vagava pela cidade, ele alcançou a multidão ao redor de Ahmed e perguntou o que estava acontecendo.

— Você não conhece Ahmed, o sapateiro? — disse um dos espectadores, rindo. — Ele resolveu virar astrólogo.

Um homem se afogando se segurará em um junco quebrado: assim que o joalheiro ouviu o som da palavra astrólogo, ele foi até Ahmed, contou-lhe o que havia acontecido e disse:

— Se você entende a sua arte, deve ser capaz de descobrir onde está o rubi do rei. Faça isso e eu lhe darei duzentas moedas de ouro. Mas, se você não tiver sucesso dentro de seis horas, usarei toda a minha influência a corte para condená-lo à morte como impostor.

O pobre Ahmed ficou pasmo. Ele ficou muito tempo sem poder se mover ou falar, refletindo sobre seus infortúnios e lamentando, acima de tudo, que sua esposa, a quem ele tanto amava, tivesse, por inveja e egoísmo, o forçado a uma alternativa tão terrível. Cheio desses pensamentos tristes, ele exclamou em voz alta:

— Ó mulher! És a decadência dos homens!

O rubi perdido havia sido escondido pela esposa do joalheiro, que, inquieta com o medo que sempre acompanha a culpa, enviou uma de suas servas para vigiar seu marido. Esta escrava, ao ver seu mestre falar com o astrólogo e ao ouvir a exclamação de Ahmed, ficou convencida de que sua senhora devia saber de tudo. Ela correu para a patroa e, tremendo de medo, gritou:

— Você foi descoberta, minha querida senhora, foi descoberta por um vil astrólogo. Antes de seis horas se passarem, toda a história será conhecida, e você se tornará famosa, se tiver a sorte de escapar com vida, a menos que encontre alguma maneira de convencê-lo a ser misericordioso.

Ela então relatou o que tinha visto e ouvido.

A esposa do joalheiro, apressadamente colocando seu véu, saiu em busca do temido astrólogo. Ao encontrá-lo, ela se jogou a seus pés, chorando:

— Poupe minha honra e minha vida, e eu vou confessar tudo!

— O que você pode ter que confessar para mim? — exclamou Ahmed espantado.

— Oh nada! Nada que você já não saiba. Você sabe muito bem que roubei o rubi da coroa do rei. Fiz isso para punir meu marido, que me usa da maneira mais cruel e pensei, dessa forma, em obter riquezas para mim mesma e mandá-lo para a morte. Mas você, homem maravilhoso, de quem nada está escondido, descobriu e derrotou meu plano perverso. Eu imploro apenas por misericórdia e farei tudo o que você me ordenar.

Um anjo do céu não poderia ter trazido mais consolo a Ahmed do que a esposa do joalheiro. Ele assumiu toda a solenidade digna que se tornou seu novo personagem e disse:

— Mulher! Sei de tudo o que você fez e é uma sorte você ter vindo confessar o seu pecado e implorar por misericórdia antes que seja tarde demais. Volte para sua casa e coloque o rubi debaixo do travesseiro do sofá em que seu marido dorme. Deixe-o no lado mais afastado da porta e fique satisfeita de que tua culpa nunca será nem mesmo suspeitada.

A esposa do joalheiro voltou para casa e fez o que ele pediu. Em uma hora, Ahmed a seguiu e disse ao joalheiro que havia feito seus cálculos e descoberto pelo aspecto do sol e da lua e pela configuração das estrelas que o rubi estava naquele momento sob o travesseiro de seu sofá, do lado mais afastado da porta. O joalheiro achou que Ahmed devia ser louco, mas, como um raio de esperança é como um raio do céu para os miseráveis, ele correu para o seu sofá e lá, para sua alegria e admiração, encontrou o rubi no mesmo lugar descrito. Ele voltou para o encontro de Ahmed, abraçou-o, chamou-o de seu amigo mais querido e preservador de sua vida, e deu-lhe as duzentas moedas de ouro, declarando que ele era o melhor astrólogo da época.

Esses elogios não transmitiam alegria ao pobre sapateiro, que voltou para casa mais agradecido a Deus por sua preservação do que exultante por sua boa sorte. No momento em que ele entrou pela porta, sua esposa correu até ele e exclamou:

— Bem, meu querido astrólogo! Como foi?

— Aqui — disse Ahmed, muito gravemente — há duzentas moedas de ouro. Espero que você fique satisfeita agora e não me peça novamente para arriscar minha vida, como fiz esta manhã.

Ele então relatou tudo o que havia acontecido. Mas o relato causou na senhora uma impressão muito diferente da que Ahmed teve. Sittâra não viu nada além do ouro, que a capacitaria a competir com a esposa do astrólogo oficial no Hemmâm.

– Coragem! – disse ela. – Coragem, meu querido marido. Este é apenas seu primeiro trabalho em sua nova e nobre profissão. Vá em frente e prospere, e nos tornaremos ricos e felizes.

Em vão Ahmed protestou e indicou o perigo. Ela começou a chorar e acusou-o de não a amar, terminando com sua ameaça usual de insistir no divórcio.

O coração de Ahmed derreteu e ele concordou em fazer outro teste. Consequentemente, na manhã seguinte, ele saiu com seu astrolábio, seus doze signos do zodíaco e seu almanaque, exclamando, como antes:

– Eu sou astrólogo! Eu conheço o sol, a lua, as estrelas e os doze signos do zodíaco. Eu posso calcular natividades! Posso prever tudo o que vai acontecer!

Uma multidão novamente se reuniu em torno dele, mas agora era com admiração, e não com escárnio, pois a história do rubi se espalhara, e a voz da fama converteu o pobre sapateiro Ahmed no mais hábil e erudito astrólogo que já fora visto em Isfahan.

Enquanto todos olhavam para ele, uma senhora passou coberta com véus. Ela era esposa de um dos mercadores mais ricos da cidade e acabara de ir ao Hemmâm, onde perdera um colar e brincos valiosos. Ela agora estava voltando para casa em grande angústia, temendo que seu marido suspeitasse que ela dera suas joias a algum amante. Vendo a multidão ao redor de Ahmed, ela perguntou o motivo da aglomeração e foi informada de toda a história do famoso astrólogo: como ele tinha sido um sapateiro, foi inspirado por conhecimentos sobrenaturais e como ele pode, com a ajuda de seu astrolábio, seus doze signos do zodíaco e seu almanaque, descobrir tudo o que já aconteceu ou iria acontecer no mundo. A história do joalheiro e do rubi do rei foi então contada a ela, acompanhada por mil circunstâncias maravilhosas que nunca aconteceram. A senhora, bastante satisfeita com sua habilidade, aproximou-se de Ahmed e mencionou sua perda, dizendo:

– Um homem com o seu conhecimento encontrará facilmente minhas joias: encontre-as e eu lhe darei cinquenta moedas de ouro.

O pobre sapateiro ficou bastante confuso e olhou para baixo, pensando apenas em como escapar sem expor publicamente sua ignorância. A senhora, ao se espremer entre a multidão, rasgou a parte inferior do véu. Os olhos baixos de Ahmed perceberam isso e, desejando informá-la de uma maneira delicada, antes que fosse percebido por outros, ele sussurrou para ela:

– Senhora, olhe para baixo para o rasgo.

A cabeça da senhora estava distante e ela estava naquele momento se esforçando para se lembrar de como isso poderia ter ocorrido. O discurso de Ahmed trouxe a lembrança imediatamente à sua mente, e ela exclamou com grande surpresa:

— Fique aqui alguns momentos, ó grande astrólogo. Voltarei imediatamente com a recompensa que você tanto merece.

Dizendo isso, ela o deixou e logo voltou, trazendo em uma das mãos o colar e os brincos, e na outra uma bolsa com as cinquenta moedas de ouro.

— Há ouro para ti — disse ela —, homem maravilhoso, a quem todos os segredos da natureza foram revelados! Eu tinha esquecido completamente onde coloquei as joias e, sem você, nunca as teria encontrado! Mas, quando desejaste que eu olhasse o rasgo abaixo, imediatamente me lembrei da rachadura perto da parte inferior da parede do banheiro, onde, antes de me despir, escondi-as. Agora posso voltar para casa em paz e conforto e tudo se deve a ti, o mais sábio dos homens!

Depois dessas palavras, ela foi embora, e Ahmed voltou para sua casa, grato pela sua sorte e por sua preservação e totalmente decidido a nunca mais tentá-la. Sua bela esposa, no entanto, ainda não podia rivalizar com a dama do astrólogo oficial em sua aparição no Hemmâm, então ela renovou suas súplicas e ameaças, para que seu querido marido continuasse sua carreira como astrólogo.

Por volta da mesma época, aconteceu que o tesouro do rei — quarenta baús de ouro e joias, que formavam a maior parte da riqueza do reino — foi roubado. O alto tesoureiro e outros oficiais do Estado usaram de toda diligência para encontrar os ladrões, mas em vão. O rei mandou chamar seu astrólogo oficial e declarou que, se os ladrões não fossem detectados no tempo determinado, ele e os principais ministros deveriam ser condenados à morte.

Restava apenas um dia do curto período que lhes foi concedido. Todas as buscas foram infrutíferas, e o astrólogo oficial do rei, que fez seus cálculos e exauriu sua arte inutilmente, havia aceitado seu destino, quando um de seus amigos o aconselhou a chamar o maravilhoso sapateiro, que tinha se tornado famoso por suas descobertas extraordinárias. Dois servos foram despachados imediatamente para buscar Ahmed, a quem ordenaram que os acompanhasse até seu senhor.

– Você vê os efeitos de sua ambição? – disse o pobre sapateiro à esposa. – Eu estou indo para a minha morte. O astrólogo do rei ouviu falar da minha presunção e está determinado a me executar como impostor.

O pobre Ahmed concluiu que tudo estava acabado e seguiu o mensageiro do rei, orando a Deus para que o livrasse desse perigo. Quando ele veio à presença do rei, ele curvou seu corpo no chão e desejou à sua majestade longa vida e prosperidade.

– Diga-me, Ahmed – disse o rei –, quem roubou meu tesouro?

– Não foi um homem – respondeu Ahmed, após pensar um pouco. – Havia quarenta ladrões envolvidos no roubo.

– Muito bem – disse o rei. – Mas quem eram eles? E o que eles fizeram com meu ouro e joias?

– Essas perguntas – disse Ahmed – não posso agora responder, mas espero satisfazer vossa majestade se me conceder quarenta dias para fazer meus cálculos.

– Concedo-lhe quarenta dias, mas, quando eles acabarem, se meu tesouro não for encontrado, pagará com sua vida.

Ahmed voltou para sua casa satisfeito, pois resolveu aproveitar o tempo concedido pelo rei e fugir da cidade onde sua fama provavelmente seria sua ruína.

– Bem, Ahmed – disse sua esposa, quando ele entrou –, que novidades você traz hoje?

– Nenhuma notícia – disse ele –, exceto que devo ser condenado à morte ao fim de quarenta dias, a menos que encontre quarenta baús de ouro e joias que foram roubados do tesouro real.

– Mas você vai descobrir quem foram os ladrões.

– Como? Por que meios poderei encontrá-los?

– Pela mesma arte que descobriu o rubi e o colar da senhora.

– A mesma arte! – respondeu Ahmed. – Mulher tola! Tu sabes que não tenho arte e que apenas fingi ter isso para te agradar. Mas tive habilidade suficiente para ganhar quarenta dias, durante os quais podemos facilmente escapar para alguma outra cidade; e com o dinheiro que agora possuo e com a ajuda de minha ocupação anterior, ainda podemos obter um meio de vida honesto.

– Um meio de vida honesto! – repetiu a mulher, com desprezo. – Seus sapatos, quer dizer, desgraçado sem espírito, alguma vez me capacitará a ir ao Hemmâm como a esposa do astrólogo oficial? Ouça-me, Ahmed! Pense apenas em descobrir o tesouro do rei. Você tem a mesma chance que tinha de encontrar o rubi, o colar e os brincos. Se você tentar fugir, eu informarei os oficiais do rei, e você será preso e condenado à morte, mesmo antes que os quarenta dias terminem. Tu me conheces muito bem, Ahmed, para duvidar que mantenho minha palavra. Portanto, tome coragem e se esforce para fazer sua fortuna e me colocar naquela categoria de vida a que minha beleza me dá direito.

O pobre sapateiro ficou consternado com esse discurso, mas, sabendo que não havia esperança de mudar a resolução de sua esposa, ele se resignou ao seu destino.

– Bem – disse ele –, sua vontade será obedecida. Tudo que desejo é passar os poucos dias restantes de minha vida o mais confortavelmente possível. Você sabe que não sou um erudito e tenho pouca habilidade em fazer contas; portanto, são quarenta tâmaras: dê-me uma delas todas as noites, depois de fazer minhas orações, para que eu possa colocá-las em uma jarra e, contando-as, possa sempre ver quantos dos poucos dias que tenho de vida se foram.

A senhora, satisfeita em ter sua solicitação atendida, pegou as tâmaras e prometeu ser pontual em fazer o que seu marido desejava.

Enquanto isso, os ladrões que roubaram o tesouro do rei, tendo sido impedidos de deixar a cidade por medo de serem detectados e perseguidos, receberam informações precisas de todas as medidas tomadas para descobri-los. Um deles estava entre a multidão diante do palácio no dia em que o rei mandou chamar Ahmed e, ouvindo que o sapateiro havia declarado imediatamente o número exato de ladrões, correu assustado para seus companheiros e exclamou:

– Todos nós fomos descobertos! Ahmed, o novo astrólogo, disse ao rei que somos quarenta.

– Não era necessário nenhum astrólogo para dizer isso – disse o capitão da gangue. – Este Ahmed, com toda sua bondade simples, é um sujeito astuto. Depois de quarenta baús roubados, ele adivinhou naturalmente que devia haver quarenta ladrões e deu um bom palpite, só isso. Ainda assim, é prudente vigiá-lo, pois ele certamente fez algumas descobertas estranhas. Um de nós deve ir esta noite, depois de escurecer, ao terraço da casa desse sapateiro e ouvir sua conversa com sua bela esposa, pois dizem que ele gosta muito dela e, sem dúvida, dirá a ela o sucesso que teve em seus esforços para nos detectar.

Todos aprovaram esse esquema e, logo depois do anoitecer, um dos ladrões dirigiu-se ao terraço. Ele chegou lá assim que o sapateiro havia terminado suas orações noturnas, e sua esposa estava lhe dando a primeira tâmara.

– Ah! – disse Ahmed, ao pegar o fruto. – Um de quarenta!

O ladrão, ao ouvir essas palavras, correu consternado de volta à quadrilha e disse-lhes que, no momento em que assumiu seu posto, fora percebido pelo conhecimento sobrenatural de Ahmed, que imediatamente disse à esposa que um deles estava ali. Seus companheiros não creditaram na história do espião, pois, afinal, ele poderia ter se enganado.

Em suma, o líder estava determinado a enviar dois homens na noite seguinte à mesma hora. Eles chegaram na casa no momento em que Ahmed, tendo terminado suas orações, recebera o segundo fruto e o ouviram exclamar:

– Minha querida esposa, esta noite são dois!

Os ladrões espantados fugiram e contaram aos seus ainda incrédulos camaradas o que tinham ouvido. Consequentemente, três homens foram enviados na terceira noite, quatro na quarta noite e assim por diante. Com medo de se aventurar durante o dia, eles sempre iam ao anoitecer e, no momento em que Ahmed recebia seu fruto, todos o ouviam dizer aquilo que os convencia de que ele estava ciente de sua presença. Na última noite, todos foram, e Ahmed exclamou em voz alta:

– O número está completo! Esta noite, temos quarenta!

Não havia mais dúvidas. Era impossível que Ahmed os tivesse descoberto por qualquer meio natural. Como ele poderia saber o número exato? E noite após noite, sem nunca ter se enganado? Ele devia ter descoberto por sua habilidade em astrologia. Mesmo o capitão cedeu e, apesar de sua incredulidade, declarou que era inútil iludir um homem assim talentoso. Ele, portanto, aconselhou que fizessem amizade com o sapateiro, confessando-lhe tudo e subornando-o para manter o segredo oferecendo uma parte do saque.

Seu conselho foi aprovado e, uma hora antes do amanhecer, eles bateram à porta de Ahmed. O pobre homem pulou da cama e, supondo que os soldados viessem conduzi-lo à execução, gritou:

– Tenha paciência! Eu sei o que você veio fazer. É uma ação muito injusta e perversa.

– Homem maravilhoso! – disse o capitão, quando a porta foi aberta. – Estamos plenamente convencidos de que sabes por que viemos e nem temos a intenção de justificar o que fizemos. Aqui estão duas mil moedas de ouro, que te daremos, desde que jure não dizer mais nada sobre o assunto.

– Não diga nada sobre isso! – disse Ahmed. – Você acha que é possível que eu possa sofrer tal erro e injustiça grosseiros sem reclamar e sem revelar isso a todo o mundo?

– Tenha misericórdia de nós! – exclamaram os ladrões, caindo de joelhos. – Poupe apenas nossas vidas, e nós restauraremos o tesouro real.

O sapateiro se assustou, esfregou os olhos para ver se estava dormindo ou acordado e, estando convencido de que aquilo era real e de que os homens à sua frente eram na verdade os ladrões, assumiu um tom solene e disse:

– Homens culpados! Estão convencidos de que não podem escapar de meu conhecimento, que alcança o sol e a lua e conhece a posição e o aspecto de cada estrela nos céus. Seu arrependimento oportuno lhes salvou. Mas vocês devem restaurar imediatamente tudo o que roubaram. Vão em frente e carreguem os quarenta baús exatamente como os encontraram e os enterrem a trinta centímetros de profundidade sob a parede sul do antigo Hemmâm em ruínas, além do palácio do rei. Se vocês fizerem isso pontualmente, suas vidas serão poupadas, mas, se vocês falharem no menor detalhe, a destruição cairá sobre vocês e suas famílias.

Os ladrões prometeram obediência às suas ordens e partiram. Ahmed então caiu de joelhos e agradeceu a Deus por este sinal a seu favor. Cerca de duas horas depois, os guardas reais chegaram e pediram que Ahmed os seguisse. Ele disse que iria atendê-los assim que se despedisse de sua esposa, a quem decidiu não contar o que havia acontecido até ver o resultado. Ele se despediu dela com muito carinho, e ela tentou convencê-lo a ter bom ânimo, dizendo algumas palavras sobre a bondade do destino. Mas o fato era que Sittâra imaginava que, se Deus tomasse o digno sapateiro para si, sua beleza poderia atrair algum amante rico que a capacitaria a ir ao Hemmâm com tanto esplendor quanto a senhora do astrólogo, cuja imagem, adornada com joias e roupas finas e cercada por escravos, ainda assombrava sua imaginação.

Os decretos do Céu são justos: uma recompensa adequada aos seus méritos esperava por Ahmed e sua esposa. O bom homem apresentou-se com semblante alegre diante do rei, que estava impaciente por sua chegada, e imediatamente disse:

– Ahmed, tua aparência é promissora. Encontraste o meu tesouro?

– Vossa majestade precisa dos ladrões ou do tesouro? As estrelas só vão conceder um ou outro – disse Ahmed, olhando para sua mesa de cálculos astrológicos. – Vossa majestade deve fazer sua escolha. Eu posso entregar qualquer um, mas não ambos.

– Eu deveria lamentar não punir os ladrões – respondeu o rei –, mas, se for assim, eu escolho o tesouro.

– E o senhor dá aos ladrões um perdão total e gratuito?

– Sim, desde que encontre meu tesouro intocado.

– Então – disse Ahmed –, se sua majestade me seguir, o tesouro será devolvido a você.

O rei e todos os seus nobres seguiram o sapateiro até as ruínas do antigo Hemmâm. Ali, olhando para o céu, Ahmed murmurou alguns sons, que os espectadores supunham ser conjurações mágicas, mas que, na realidade, eram orações e ações de graças de um coração sincero e piedoso a Deus por sua maravilhosa libertação. Quando sua oração terminou, ele apontou para a parede sul e pediu que sua majestade ordenasse a seus assistentes que cavassem lá. O trabalho mal havia começado quando todos os quarenta baús foram encontrados no mesmo estado em que foram roubados, com o selo do tesoureiro sobre eles ainda intacto.

A alegria do rei não conhecia limites. Ele abraçou Ahmed e imediatamente o nomeou seu astrólogo oficial, designou-lhe um aposento no palácio e declarou que ele deveria se casar com sua única filha, pois era seu dever promover o homem a quem Deus tão singularmente favorecera e fizera de instrumento na restauração dos tesouros de seu reino. A jovem princesa, que era mais bonita do que a lua, não ficou insatisfeita com a escolha do pai, pois sua mente estava repleta de religião e virtude, e ela aprendera a valorizar, além de todas as qualidades terrenas, aquela piedade e conhecimento que ela acreditava que Ahmed possuía. A vontade real foi feita assim que formada. A roda da fortuna deu uma volta completa. Pela manhã, Ahmed havia acordado em uma cabana miserável, levantando-se de uma cama lamentável, na expectativa de perder a vida; à noite, ele era o senhor de um palácio rico e casado com a única filha de um rei poderoso. Mas essa mudança não alterou seu caráter. Como ele havia sido humilde nas adversidades, ele era modesto e gentil na prosperidade. Consciente de sua própria ignorância, continuou atribuindo sua boa fortuna apenas ao favor do destino. Ele se apegou cada vez mais à bela e virtuosa princesa com quem se casou e não podia deixar de contrastar o caráter dela com o de sua ex-esposa, a quem ele havia deixado de amar e de cuja vaidade irracional e insensível ele agora tinha plena consciência.

O cavalo mágico

(de *As mil e uma noites*. Antoine Galland, c. 1700)

Era a festa do Ano Novo, a mais antiga e esplêndida de todas as festas do reino da Pérsia, e o rei passara o dia na cidade de Schiraz, participando dos magníficos espetáculos preparados por seus súditos para homenagear o festival. O sol estava se pondo, e o monarca estava prestes a dar à sua corte o sinal para se retirar quando, de repente, um homem apareceu diante de seu trono, conduzindo um cavalo ricamente armado.

– Senhor – disse ele, prostrando-se enquanto falava –, embora eu apareça tão tarde diante de vossa alteza, posso assegurar-lhe que nenhuma das maravilhas que você viu durante o dia pode ser comparada a este cavalo.

– Não vejo nada nele – respondeu o rei – exceto uma inteligente imitação de um verdadeiro; e qualquer trabalhador habilidoso pode fazer o mesmo.

— Senhor — respondeu o homem —, não me refiro à aparência dele, mas a como posso usá-lo. Só tenho que montá-lo, desejar estar em algum lugar especial, e não importa o quão distante esteja, e em poucos segundos eu me encontrarei lá. É isso, senhor, que torna o cavalo tão maravilhoso e, se vossa alteza me permitir, posso comprovar o que estou afirmando.

O rei da Pérsia, que se interessava por todas as coisas fora do comum e nunca havia encontrado um cavalo com tais qualidades, ordenou ao homem que montasse o animal e mostrasse o que ele sabia fazer. Em um instante, o homem saltou sobre o cavalo e perguntou para onde o monarca desejava enviá-lo.

— Você vê aquela montanha? — perguntou o rei, apontando para uma enorme massa que se erguia no céu a cerca de quinze quilômetros de Schiraz. — Vá e traz-me a folha de uma palmeira daquela árvore.

As palavras mal saíram da boca do rei e o homem girou um parafuso colocado no pescoço do cavalo, perto da sela, e o animal saltou como um relâmpago e logo estava além da vista até mesmo dos olhos mais atentos. Em um quarto de hora, o homem foi visto voltando, trazendo a folha na mão e, guiando seu cavalo até o pé do trono, desmontou e colocou a folha diante do rei.

Assim que o monarca viu como o cavalo era espantosamente veloz, quis comprá-lo e não teve dúvidas de que o homem o venderia para ele.

— Pela aparência dele, nunca saberia como ele é valioso! — disse o rei. — Agradeço-lhe por ter me mostrado meu erro. Diga quanto ele custa.

— Senhor — respondeu o homem —, nunca duvidei de que um soberano tão sábio e talentoso como vossa alteza faria justiça ao meu cavalo, uma vez que conheceu seu poder. Cheguei mesmo a pensar que era provável que o senhor quisesse comprá-lo. Pelo muito que o prezo, vou entregá-lo à vossa alteza com uma condição. O cavalo não foi feito por mim, mas foi dado a mim pelo inventor, em troca de minha única filha, que me fez jurar que eu nunca me separaria dele, exceto por algum objeto de igual valor.

— Escolha o que quiser — gritou o monarca, interrompendo-o. — Meu reino é grande e cheio de belas cidades. Você só precisa escolher a que prefere para se tornar seu governante até o fim da vida.

— Senhor — respondeu o indiano, a quem a proposta não parecia tão generosa como parecia ao rei —, estou muito grato à vossa alteza por sua oferta e imploro que não se ofenda comigo se eu disser que só posso entregar meu cavalo em troca da mão da princesa sua filha.

Uma gargalhada irrompeu entre os cortesãos ao ouvir essas palavras, e o príncipe Firouz Schah, o herdeiro aparente, ficou furioso com a presunção do homem. O rei, entretanto, achou que não custaria muito se separar da princesa para ganhar um bem tão precioso e, enquanto ele hesitava em sua resposta, o príncipe interrompeu.

— Senhor, não é possível que você duvide por um instante qual resposta deveria dar a uma barganha tão insolente. Considere o que você deve a si mesmo e ao sangue de seus ancestrais.

— Meu filho — respondeu o rei —, você fala nobremente, mas não percebe nem o valor do cavalo, nem o fato de que, se eu rejeitar a proposta do homem, ele fará o mesmo a algum outro monarca, e eu deveria me encher de desespero ao pensar que alguém além de mim possa possuir esta Sétima Maravilha do Mundo. Claro, não digo que aceitarei suas condições, e talvez ele possa ser levado à razão, mas enquanto isso eu gostaria que você examinasse o cavalo e, com a permissão do proprietário, testasse seus poderes.

O homem, que tinha ouvido a fala do rei, pensou ter visto nela sinais de que ele fosse ceder à sua proposta; então, alegremente concordou com os desejos do monarca e se adiantou para ajudar o príncipe a montar o cavalo e mostrar-lhe como guiá-lo. Contudo, antes que tivesse tempo de dar a explicação, o jovem girou o parafuso e logo sumiu de vista.

Eles esperaram por algum tempo, desejando a cada momento que pudessem ver o príncipe retornando a distância, mas, por fim, o homem ficou com medo e, prostrando-se diante do trono, disse ao rei:

— Senhor, vossa alteza deve ter notado que o príncipe, na sua impaciência, não me permitiu dizer-lhe o que era preciso fazer para voltar ao lugar de onde partiu. Imploro-lhe que não me castigue pelo que não foi culpa minha.

– Mas por quê? – gritou o rei em uma explosão de medo e raiva. – Por que você não o chamou de volta quando o viu desaparecer?

– Senhor, a rapidez de seus movimentos me pegou tão de surpresa que ele já não podia ouvir antes de eu recuperar minha fala. Mas devemos esperar que ele perceba e gire um segundo parafuso, que terá o efeito de trazer o cavalo de volta.

– Mas supondo que ele faça isso – respondeu o rei –, o que impede o cavalo de descer direto ao mar ou despedaçá-lo nas rochas?

– Não tema, alteza – disse o homem –, o cavalo tem o dom de atravessar os mares e de levar seu cavaleiro aonde ele quiser.

– Bem, sua cabeça responderá por isso – respondeu o monarca – e, se em três meses ele não estiver seguro de volta comigo ou pelo menos não me enviar notícias de sua segurança, pagará com a sua vida.

Nisso, ele ordenou que seus guardas prendessem o homem e o jogassem na prisão.

Enquanto isso, o príncipe Firouz Schah havia subido alegremente no ar e por uma hora continuou a subir cada vez mais alto, até que as próprias montanhas não se distinguiam das planícies. Então ele começou a pensar que era hora de descer e presumiu que, para isso, bastaria girar o parafuso no sentido inverso, mas, para sua surpresa e horror, descobriu que, por mais que tentasse, nada acontecia. Ele então se lembrou de que nunca esperou para perguntar como faria para voltar à terra novamente e compreendeu o perigo em que se encontrava. Felizmente, ele não perdeu a cabeça e começou a examinar o pescoço do cavalo com muito cuidado, até que, por fim, para sua grande alegria, descobriu uma pequena estaca, muito menor que a outra, perto da orelha direita. Ele se virou e se viu caindo no chão, embora mais devagar do que antes.

Já estava escuro e, como o príncipe não conseguia ver nada, ele foi obrigado, não sem algum sentimento de inquietação, a permitir que o cavalo seguisse seu próprio curso, e já havia passado de meia-noite quando o príncipe Firouz Schah tocou novamente o chão, desmaiando cansado da longa cavalgada e pelo fato de não ter comido nada desde o início da manhã.

A primeira coisa que fez ao desmontar foi tentar descobrir onde ele estava e, pelo que pôde descobrir na escuridão densa, viu-se no terraço do telhado de um enorme palácio, com uma balaustrada de mármore correndo em volta. Em um canto do terraço, havia uma pequena porta que dava para uma escada que descia para o palácio.

Algumas pessoas poderiam ter hesitado antes de explorar mais, mas não o príncipe.

– Não estou fazendo mal nenhum – disse ele – e, seja quem for o dono, ele não vai me tocar quando vir que estou desarmado.

Com medo de dar um passo em falso, desceu cautelosamente a escada. Em um patamar, ele notou uma porta aberta, além da qual havia um corredor levemente iluminado.

Antes de entrar, o príncipe fez uma pausa e prestou atenção, mas não escutou nada, exceto o som de homens roncando. À luz de uma lanterna suspensa no telhado, ele percebeu uma fileira de guardas dormindo, cada um com uma espada deitada ao lado, e ele entendeu que o salão deveria formar a antecâmara do quarto de alguma rainha ou princesa.

Parado, o príncipe Firouz Schah olhou em sua volta, até que seus olhos se acostumaram com a escuridão, e percebeu uma luz brilhante através de uma cortina em um canto. Ele então caminhou suavemente em direção a ela e, afastando suas dobras, passou para um magnífico aposento cheio de mulheres adormecidas, todas deitadas em sofás baixos, exceto uma, que estava em um sofá. Aquela, ele sabia, devia ser a princesa.

Gentilmente se aproximando de sua cama, ele olhou para ela e viu que ela era mais bonita do que qualquer mulher que ele já vira. Mas, fascinado como estava, ele estava bem ciente do perigo de sua posição, pois um grito de surpresa acordaria os guardas e causaria sua morte certa.

Ajoelhando-se silenciosamente, ele segurou a manga da princesa e puxou seu braço levemente em sua direção. A princesa abriu os olhos e, vendo diante dela um homem bonito e bem vestido, ficou muda de espanto.

O príncipe se curvou enquanto se ajoelhava e se dirigiu a ela:

– Vês, senhora, um príncipe em apuros, filho do rei da Pérsia, que, devido a uma aventura tão estranha que mal acreditarás, encontra-se aqui suplicante pela tua proteção. Ontem me encontrava na corte de meu pai, empenhado na celebração de nossa festa mais solene; hoje, estou em uma terra desconhecida, em perigo de vida.

Ora, a princesa era a filha mais velha do rei de Bengala, que descansava no palácio que seu pai construíra, a uma pequena distância da capital. Ela ouviu gentilmente o que ele tinha a dizer e então respondeu:

— Príncipe, não se preocupe. A hospitalidade e a humanidade são praticadas tão amplamente aqui quanto na Pérsia. A proteção que você pede será concedida por todos. Você tem minha palavra. — E quando o príncipe estava prestes a agradecê-la por sua bondade, ela acrescentou rapidamente:

— Por maior que seja minha curiosidade em saber como você viajou até aqui tão rapidamente, eu sei que você deve estar desmaiando por falta de comida, então eu darei ordens às minhas servas para levá-lo a um dos meus aposentos, onde lhe darão comida e você poderá descansar.

A essa altura, as servas da princesa já estavam todas acordadas e ouvindo a conversa. A um sinal de sua senhora, elas se levantaram, vestiram-se apressadamente e, pegando algumas das velas que iluminavam o quarto, conduziram o príncipe a um quarto grande e alto, onde duas delas prepararam sua cama, e o restante desceu para a cozinha, de onde logo voltaram com todo tipo de pratos. Então, mostrando-lhe armários cheios de vestidos e linho, eles deixaram o quarto.

Durante sua ausência, a princesa, que ficara muito impressionada com a beleza do príncipe, tentou em vão dormir novamente. Não adiantou: ela se sentia bem acordada e, quando suas criadas entraram na sala, ela perguntava ansiosamente se o príncipe tinha tudo o que queria e o que pensavam dele.

– Senhora – responderam elas –, é claro qual impressão este jovem causou em você. Para nós mesmas, pensamos que você teria sorte se o rei seu pai permitisse que você se casasse com alguém tão amável. Certamente não há ninguém na corte que possa ser comparado a ele.

Essas observações lisonjeiras não desagradaram de forma alguma a princesa, mas, como ela não queria trair seus próprios sentimentos, ela apenas disse:

– Vocês todas são um bando de tagarelas; voltem para a cama e me deixem dormir.

Ao se vestir na manhã seguinte, as criadas notaram que, ao contrário de seu hábito, a princesa estava muito exigente com sua higiene e insistia que seu cabelo fosse penteado duas ou três vezes. "Se minha aparência não desagradou o príncipe quando ele me viu na condição em que eu estava, ele ficará mais encantado se eu estiver arrumada", pensou.

Então ela colocou no cabelo os maiores e mais brilhantes diamantes que conseguiu encontrar, com um colar, pulseiras e cinto, todos de pedras preciosas. E, sobre os ombros, suas damas colocaram um manto do material mais rico de todas as Índias, que ninguém tinha permissão de usar, exceto os membros da família real. Quando já estava totalmente vestida de acordo com seus desejos, ela mandou saber se o príncipe da Pérsia estava acordado e pronto para recebê-la, porque ela desejava se apresentar a ele.

Quando o mensageiro da princesa entrou em seu quarto, o príncipe Firouz Schah respondeu:

– A vontade dela é minha lei, só estou aqui para obedecer às suas ordens.

Em alguns instantes, a própria princesa apareceu e, depois que os elogios habituais foram trocados entre eles, a princesa sentou-se em um sofá e começou a explicar ao príncipe suas razões para não falar com ele em seus próprios aposentos.

– Se eu tivesse feito isso – disse ela –, poderíamos ter sido interrompidos a qualquer hora pelo chefe, que tem o direito de entrar quando quiser, considerando que este é um terreno proibido. Estou totalmente impaciente para saber o maravilhoso acaso que proporcionou a sua chegada e é por isso que vim aqui, onde ninguém pode se intrometer. Comece então a sua história, eu imploro, sem demora.

Assim, o príncipe começou a narrativa do início, contando toda a história do festival de Nedrouz, realizado anualmente na Pérsia, e dos esplêndidos espetáculos celebrados em sua homenagem. Mas, quando ele chegou à parte do cavalo encantado, a princesa declarou que ela nunca poderia ter imaginado algo tão surpreendente.

– Bem, então – continuou o príncipe –, você pode facilmente entender como o rei, meu pai, que tem paixão por todas as coisas curiosas, foi tomado por um desejo violento de possuir este cavalo e perguntou ao homem por quanto o venderia. A resposta do homem foi absurda: não foi nada menos que a mão da princesa, minha irmã. Embora todos os espectadores rissem e zombassem e eu estivesse fora de mim de raiva, meu pai considerou a proposta. Tentei argumentar com ele, mas em vão. Ele apenas me pediu que eu examinasse o cavalo.

O príncipe continuou:

— Para agradar a meu pai, montei o cavalo e, sem esperar nenhuma instrução do homem, girei o parafuso como o vira fazer. Em um instante, estava voando, muito mais rápido do que uma flecha poderia voar, e senti como se estivesse me aproximando tanto do céu que em breve bateria a cabeça contra ele! Não conseguia ver nada abaixo de mim e, por algum tempo, fiquei tão confuso que nem sabia em que direção estava viajando. Ao escurecer, encontrei outro parafuso e, ao girá-lo, o cavalo começou a descer lentamente em direção à terra. Fui obrigado a confiar no acaso e a ver o que o destino reservava, e já passava da meia-noite quando me vi no telhado deste palácio. Desci sorrateiramente a escadaria e fui direto para uma luz que percebi por uma porta aberta, então espiei com cautela e vi, como você deve imaginar, os guardas dormindo no chão. Eu sabia dos riscos que corria, mas minha necessidade era tão grande que não dei atenção a eles e atravessei para a cortina que escondia sua entrada.

— O resto, princesa, você sabe, e só me resta agradecer a gentileza que você tem me mostrado e assegurar-lhe minha gratidão. Pela lei das nações, eu já sou seu escravo, e só tenho meu coração, que é meu, para lhe oferecer. Mas o que estou dizendo? Senhora, meu coração foi seu desde o primeiro momento em que a vi!

O ar com que ele disse essas palavras não poderia ter deixado dúvidas na mente da princesa quanto ao efeito de seus encantos, e o rubor que atingiu seu rosto apenas aumentou sua beleza.

— Príncipe — respondeu ela assim que sua confusão lhe permitiu falar —, deixe-me dizer o quanto devo ao acaso que o levou para a minha casa; você não poderia ter entrado em nenhum lugar que lhe daria uma recepção mais calorosa. Quanto a ser um escravo, declaro que isso é apenas uma piada, e minha própria recepção deveria ter lhe garantido que você é tão livre aqui quanto na corte de seu pai. Quanto ao seu coração — continuou ela em tom de encorajamento —, tenho certeza de que deve ter sido disposto, muito tempo atrás, para alguma princesa digna disso, e eu não poderia pensar em ser a causa de sua infidelidade para com ela.

O príncipe Firouz Schah ia protestar que não havia outra mulher, mas foi impedido pela entrada de uma das acompanhantes da princesa, que anunciou que o jantar estava servido, e, afinal, nenhum dos dois lamentou a interrupção.

O jantar foi servido em um magnífico aposento, com a mesa coberta com deliciosas frutas, enquanto, durante a refeição, garotas ricamente vestidas cantavam suave e docemente ao som de instrumentos de cordas. Depois que o príncipe e a princesa terminaram, eles passaram para uma pequena sala forrada de azul e dourado, dando para um jardim repleto de flores e medronheiros, bem diferente de qualquer um que se encontrava na Pérsia.

— Princesa — observou o jovem —, até agora sempre acreditei que a Pérsia pudesse se orgulhar de palácios mais bonitos e jardins mais lindos do que qualquer reino na terra, mas meus olhos foram abertos e começo a perceber que, onde quer que haja um grande rei, ele se cercará de edifícios dignos dele.

— Príncipe — respondeu a princesa de Bengala —, não tenho ideia de como é um palácio persa, por isso, não posso fazer comparações. Não desejo depreciar meu próprio palácio, mas posso lhe assegurar que é muito pobre comparado ao do rei, meu pai, como você verá quando estiver lá para cumprimentá-lo, como espero que faça em breve.

Agora a princesa esperava que, ao promover um encontro entre o príncipe e seu pai, o rei ficasse tão impressionado com o ar distinto e as maneiras finas do jovem que lhe oferecesse sua filha como esposa. Mas a resposta do príncipe da Pérsia à sua sugestão não foi bem o que ela desejava.

— Senhora — disse ele —, aproveitando sua proposta de visitar o palácio do rei de Bengala, eu deveria satisfazer não apenas minha curiosidade, mas também os sentimentos de respeito com os quais a considero, mas, princesa, você concordará que não posso me apresentar diante de um soberano tão grande sem os servos adequados à minha categoria. Ele me consideraria um aventureiro.

— Se for esse o problema — respondeu ela —, você poderá ter quantos servos quiser. Há muitos mercadores persas e, quanto a dinheiro, meu tesouro está sempre aberto para você. Leve o que quiser.

O príncipe Firouz Schah adivinhou o que motivou tanta gentileza por parte da princesa e ficou muito tocado por isso. Mesmo assim, sua paixão, que aumentava a cada momento, não o fazia esquecer seu dever. Então ele respondeu sem hesitar:

— Eu não sei, princesa, como expressar minha gratidão por sua oferta, que eu aceitaria imediatamente se não fosse pela lembrança de todo o mal-estar que o rei, meu pai, deve estar sofrendo por minha causa. Eu seria indigno, na verdade, de todo o amor que ele derrama sobre mim se eu não voltasse para ele no primeiro momento possível. Enquanto eu estou desfrutando da companhia da mais amável de todas as princesas, ele está, tenho certeza, mergulhado em profunda tristeza, tendo perdido todas as esperanças de me ver novamente. Tenho certeza de que você vai entender minha posição e vai sentir que ficar longe um instante a mais do que o necessário seria não apenas ingrato de minha parte, mas talvez até um crime, pois como posso saber se minha ausência não pode partir seu coração?

O príncipe continuou:

— Tendo obedecido à voz de minha consciência, contarei minutos até que possa, com sua graciosa permissão, me apresentar ao rei de Bengala, não como um andarilho, mas como um príncipe, para implorar o favor de sua mão.

A princesa de Bengala achou razoável não aceitar a explicação oferecida pelo príncipe Firouz Schah, mas ficou muito perturbada com sua intenção de partir imediatamente, pois temia que, assim que ele a deixasse, a impressão que ela causara iria desaparecer. Então ela fez mais um esforço para mantê-lo e, depois de assegurar-lhe que aprovava inteiramente sua ansiedade em ver o pai, implorou que lhe desse um ou dois dias a mais de sua companhia.

O príncipe não conseguiu recusar esse pedido, e a princesa começou a inventar todo tipo de diversão para ele e teve tanto sucesso que dois meses se passaram quase despercebidos, com bailes, espetáculos e caça. Um dia, entretanto, ele declarou finalmente que não poderia mais negligenciar seu dever e rogou-lhe que não colocasse mais obstáculos em seu caminho, prometendo voltar o mais rápido possível, com toda a magnificência devida.

– Princesa – acrescentou ele –, pode ser que em seu coração você me veja como aqueles falsos amantes cuja devoção não pode resistir ao teste da ausência. Se o fizer, você me prejudicará; e se não fosse por medo de ofendê-la, eu imploraria que você viesse comigo, pois minha vida só será feliz com você ao meu lado. Quanto à sua recepção na corte persa, será tão calorosa quanto seus méritos merecem e, quanto ao que diz respeito ao rei de Bengala, se ele não consentir com nosso casamento, isso significa que ele é muito mais indiferente ao seu bem-estar do que você me fez acreditar.

A princesa não encontrou palavras para responder aos argumentos do príncipe da Pérsia, mas seu silêncio e seu olhar abatido falavam por ela. Por fim, declarou que ela não tinha objeções a acompanhá-lo em suas viagens.

A única dificuldade que ocorreu a ela foi que o príncipe Firouz Schah não sabia como lidar com o cavalo, e ela temeu que eles pudessem se ver na mesma situação de antes; mas o príncipe acalmou seus medos com tanto sucesso que ela não teve outro pensamento a não ser providenciar sua fuga tão secretamente que ninguém no palácio deveria suspeitar disso.

Na manhã seguinte, quando todo o palácio estava dormindo, ela subiu sorrateiramente no telhado, onde o príncipe já a esperava, com a cabeça do cavalo voltada em direção à Pérsia. Ele montou primeiro e ajudou a princesa a subir; então, ele tocou o parafuso, e o cavalo começou a deixar a terra rapidamente para trás.

Ele viajou com sua velocidade costumeira, e o príncipe Firouz Schah o guiou tão bem que, em duas horas e meia desde o momento da partida, ele viu a capital da Pérsia abaixo dele. Decidiu descer não na grande praça de onde partira, nem no palácio do sultão, mas em uma casa de campo a uma pequena distância da cidade. Lá, ele mostrou à princesa uma bela suíte e implorou que ela descansasse, enquanto informava a seu pai de sua chegada e preparava uma recepção pública digna de sua posição. Então ele ordenou que um cavalo fosse selado e partiu.

Em todo o percurso pelas ruas, foi recebido com gritos de alegria pelo povo, que há muito havia perdido a esperança de revê-lo. Ao chegar ao palácio, ele encontrou o sultão cercado por seus ministros, todos vestidos com o mais profundo luto, e seu pai quase enlouqueceu de surpresa e deleite com o simples som da voz de seu filho. Quando se acalmou um pouco, implorou ao príncipe que relatasse suas aventuras.

O príncipe imediatamente aproveitou a abertura que lhe era dada e contou toda a história do tratamento que recebera da princesa de Bengala, nem mesmo ocultando o fato de que ela se apaixonara por ele.

– E, senhor – concluiu o príncipe –, tendo dado minha palavra real de que o senhor não recusaria seu consentimento em nosso casamento, persuadi-a a voltar comigo no cavalo. Eu a deixei em uma das casas de campo de sua alteza, onde ela está esperando ansiosamente para ter certeza de que eu não prometi em vão.

Ao dizer isso, o príncipe estava prestes a se lançar aos pés do sultão, mas seu pai o impediu e, abraçando-o novamente, disse ansiosamente:

– Meu filho, não apenas consinto de bom grado em seu casamento com a princesa de Bengala, mas também me apressarei em prestar meus respeitos a ela e agradecê-la pessoalmente pelos benefícios que ela lhe conferiu. Eu a trarei de volta comigo, e faça todos os preparativos para que o casamento seja celebrado hoje.

Assim, o sultão deu ordens para que fossem abandonados os hábitos de luto do povo e que houvesse um concerto de tambores, trombetas e címbalos. Ele também ordenou que o homem que vendera o cavalo deveria ser tirado da prisão e trazido à sua presença.

Suas ordens foram obedecidas, e o vendedor foi conduzido até sua presença, cercado por guardas.

– Eu o mantive trancado – disse o sultão – para que, caso meu filho se perdesse, sua vida pagasse o preço. Ele agora voltou. Portanto, pegue seu cavalo e vá embora para sempre.

O homem abandonou apressadamente a presença do sultão e, ao sair, perguntou ao homem que o havia tirado da prisão onde o príncipe estivera realmente todo esse tempo e o que ele estivera fazendo. Contaram-lhe toda a história e como a princesa de Bengala já então esperava no palácio rural o consentimento do sultão, o que imediatamente pôs na cabeça do indiano um plano de vingança pelo tratamento que sofrera. Indo direto para a casa de campo, informou ao porteiro que ficara no comando que fora enviado pelo sultão e pelo príncipe da Pérsia para buscar a princesa no cavalo encantado e levá-la ao palácio.

O porteiro conhecia o vendedor de vista e, é claro, sabia que quase três meses antes ele havia sido lançado na prisão pelo sultão. Ao vê-lo em liberdade, o homem deu por certo que ele falava a verdade e não teve dificuldade em conduzi-lo até a princesa de Bengala.

O vendedor, encantado com o sucesso de seu esquema, montou no cavalo, ajudou a princesa a montar atrás dele e girou o parafuso no momento em que o príncipe estava saindo do palácio de Schiraz para a casa de campo, seguido de perto pelo sultão e toda a corte. Sabendo disso, o homem dirigiu deliberadamente o cavalo bem acima da cidade, a fim de que sua vingança pela prisão injusta fosse ainda mais rápida e doce.

Ao ver o cavalo e os seus cavaleiros, o sultão da Pérsia parou com espanto e horror e irrompeu em pragas e maldições, que o homem ouviu sem se comover, sabendo que estava perfeitamente a salvo de uma perseguição. Por mais mortificado e furioso que o sultão estivesse, sua ira não era nada perto da do príncipe Firouz Schah, que viu a mulher por quem estava apaixonado sendo levada embora rapidamente. Enquanto ele estava sem palavras devido à tristeza e ao remorso por não a ter guardado melhor, ela desapareceu rapidamente de sua vista. O que ele deveria fazer? Ele deveria seguir seu pai ao palácio e ali dar rédeas ao seu desespero? Tanto seu amor quanto sua coragem o proibiam e ele continuou seu caminho para o palácio.

Ao ver o príncipe, o porteiro percebeu a tolice ele cometera e, atirando-se aos pés de seu mestre, implorou seu perdão.

– Levante-se – disse o príncipe –, eu sou a causa deste infortúnio, e não você. Vá e encontre-me uma veste de dervixe, mas tenha cuidado de dizer que é para mim.

A uma curta distância da casa de campo, ficava um convento de dervixes, e o superior era amigo do porteiro. Assim, por meio de uma falsa história inventada no calor do momento, foi fácil conseguir uma veste de dervixe, que o príncipe vestiu imediatamente, em vez da sua. Disfarçado assim e escondendo sobre si uma caixa de pérolas e diamantes que pretendia dar de presente à princesa, ele saiu de casa ao cair da noite, sem saber para onde deveria ir, mas decidido firmemente a não voltar sem ela.

Enquanto isso, o vendedor havia virado o cavalo em tal direção que, antes de muitas horas se passarem, ele havia entrado em um bosque próximo à capital do reino de Cashmere. Sentindo muita fome e supondo que a princesa também pudesse estar precisando de comida, ele levou seu corcel para a terra e deixou a princesa em um lugar sombrio, às margens de um riacho claro.

No início, quando a princesa se viu sozinha, ocorreu-lhe a ideia de tentar escapar e se esconder, mas, como quase não havia comido desde que deixara Bengala, ela se sentia fraca demais para se aventurar longe e foi obrigada a abandonar seu projeto. O homem voltou com vários tipos de carne, e ela começou a comer vorazmente e logo recuperou coragem suficiente para responder às suas observações insolentes. Instigada por suas ameaças, ela se levantou rapidamente, gritando em voz alta por socorro e, felizmente, seus gritos foram ouvidos por uma tropa de cavaleiros, que cavalgou até lá para perguntar o que estava acontecendo.

O líder desses cavaleiros era o sultão de Cashmere, retornando da perseguição, e ele imediatamente se voltou para o vendedor para perguntar quem ele era e quem estava com ele. O homem respondeu rudemente que era sua esposa e que não havia motivo para mais ninguém interferir entre eles.

A princesa, que, é claro, ignorava a posição de seu libertador, negou totalmente a história do vendedor.

– Meu senhor – gritou ela –, quem quer que seja, não tenha fé neste impostor. Ele é um mago abominável, que neste dia me arrancou do príncipe da Pérsia, meu marido destinado, e me trouxe aqui neste cavalo encantado.

Ela teria continuado, mas suas lágrimas a sufocaram, e o sultão de Cashmere, convencido da verdade de sua história devido à sua beleza e a seu ar distinto, ordenou a seus seguidores que cortassem a cabeça do vendedor, o que foi feito imediatamente.

Apesar de ter sido resgatada de um perigo, parecia que ela havia caído em outro. O sultão ordenou que um cavalo fosse dado a ela, conduziu-a para um aposento em seu próprio palácio e selecionou escravas para atendê-la. Então, sem lhe dar tempo para agradecer por tudo o que havia feito, ele pediu que ela descansasse, dizendo que ela deveria lhe contar suas aventuras no dia seguinte.

A princesa adormeceu, lisonjeando-se de que só precisava contar sua história para que o sultão fosse tocado pela compaixão e a devolvesse ao príncipe sem demora.

Entretanto, quando o rei de Cashmere deixou sua presença na noite anterior, ele decidira que o sol não deveria se pôr novamente sem que a princesa se tornasse sua esposa, e ao amanhecer a proclamação de sua intenção foi feita por toda a cidade, ao som de tambores, trombetas, pratos e outros instrumentos escolhidos para encher o coração de alegria. A princesa de Bengala foi acordada cedo com o barulho, mas nem por um momento imaginou que tivesse algo a ver com ela, até que o sultão, chegando assim que ela estava vestida para perguntar sobre sua saúde, informou-a de que a trombeta e as explosões que ela ouvira faziam parte das cerimônias solenes de casamento, para as quais ele implorou que ela se preparasse. Esse anúncio inesperado causou à princesa tanto terror que ela desmaiou.

Os escravos que estavam esperando correram em seu socorro, e o próprio sultão fez o possível para trazê-la de volta à consciência, mas por um longo tempo tudo foi em vão. Por fim, seus sentidos começaram a voltar lentamente e, então, em vez de romper a fé com o príncipe da Pérsia consentindo em tal casamento, ela decidiu fingir loucura. Ela começou dizendo todos os tipos de absurdos e usando todos os tipos de gestos estranhos, enquanto o sultão permanecia olhando para ela com tristeza e surpresa. Mas, como esse ataque repentino não dava sinais de diminuir, ele a deixou com suas damas, ordenando-lhes que tomassem o maior cuidado com ela. Ainda assim, com o passar do dia, a doença parecia piorar e à noite era quase violenta.

Os dias se passaram dessa maneira, até que por fim o sultão de Cashmere decidiu convocar todos os médicos de sua corte para se consultarem sobre o triste estado dela. A resposta deles foi que a loucura tem tantos tipos diferentes que era impossível opinar sobre o caso sem ver a princesa. O sultão então deu ordens para que fossem levados ao seu quarto, um por um, cada homem de acordo com sua posição.

Essa decisão havia sido prevista pela princesa, que sabia muito bem que, se permitisse aos médicos sentir seu pulso, até o mais ignorante deles descobriria que ela estava em perfeito estado de saúde e que sua loucura era fingida. Cada vez que um homem se aproximava, ela fingia estar tendo ataques tão violentos que ninguém se atreveu a encostar um dedo nela. Alguns, que fingiam ser mais espertos do que os outros, declararam que podiam diagnosticar doentes só de olhá-los, prescrevendo então certas poções, que ela não teve dificuldade em tomar, pois estava convencida de que eram todas inofensivas.

Quando o sultão de Cashmere viu que os médicos da corte nada podiam fazer para curar a princesa, chamou os da cidade, que não se saíram muito melhor. Em seguida, ele recorreu aos médicos mais famosos nas outras grandes cidades, mas, descobrindo que nenhum estava apto para examiná-la, finalmente enviou mensageiros para os outros estados vizinhos, com um memorando contendo todos os detalhes da loucura da princesa e oferecendo-se, ao mesmo tempo, para pagar as despesas de qualquer médico que viesse ver por si mesmo, além de uma bela recompensa para quem a curasse.

Muitos médicos estrangeiros foram até Cashmere, mas naturalmente não tiveram mais sucesso do que os outros, já que a cura não dependia nem deles nem de sua habilidade, mas apenas da própria princesa.

Isso foi o suficiente para induzir o príncipe a pegar a estrada para Cashmere e perguntar, na primeira pousada em que ele se hospedou na capital, sobre todos os detalhes da história. Quando soube que havia finalmente encontrado a princesa perdida por tanto tempo, ele começou a elaborar um plano para resgatá-la.

A primeira coisa que fez foi procurar uma túnica de médico, para que suas roupas, somadas à longa barba que deixara crescer em suas viagens, pudesse dar credibilidade à sua falsa profissão. Ele, então, não perdeu tempo em ir ao palácio e, enquanto se desculpava por sua ousadia em presumir que ele poderia curar a princesa sendo que tantos outros haviam falhado, declarou que tinha certos remédios secretos, que até então nunca deixaram de fazer efeito.

O chefe dos oficiais de diligência garantiu-lhe que era calorosamente bem-vindo e que o sultão o receberia com prazer. Disse também que, em caso de sucesso, ele receberia uma recompensa magnífica.

Quando o príncipe da Pérsia, disfarçado de médico, foi trazido à sua presença, o sultão o conduziu até uma sala sob o telhado, que tinha uma abertura através da qual ele poderia observar a princesa, sem que ele mesmo fosse visto.

O príncipe olhou e viu a princesa reclinada em um sofá com lágrimas nos olhos, cantando baixinho para si mesma uma canção lamentando seu triste destino, que a privara, talvez para sempre, de um ser que ela tanto amava. O coração do jovem batia rápido enquanto ele ouvia, pois não precisava de mais nenhuma prova de que sua loucura era fingida e de que fora o amor por ele que a levara a recorrer a esse tipo de truque. Ele então saiu de seu esconderijo e voltou ao sultão, a quem relatou estar certo, por certos sinais, de que a enfermidade da princesa não era incurável, mas que deveria vê-la e falar com ela a sós.

O sultão logo consentiu e ordenou que o príncipe fosse conduzido ao aposento da princesa. No momento em que ela avistou a túnica de médico dele, ela saltou de sua cadeira em fúria e proferiu insultos contra ele. O príncipe não se abalou com o comportamento dela e, aproximando-se bastante, para que suas palavras pudessem ser ouvidas apenas por ela própria, disse sussurrando:

— Olhe para mim, princesa, e você verá que não sou médico, mas o príncipe da Pérsia, que veio para libertá-la.

Ao som de sua voz, a princesa de Bengala de repente se acalmou e uma expressão de alegria se espalhou por seu rosto, como ocorre quando aquilo que mais desejamos, mas temos poucas esperanças, acontece de repente. Por algum tempo, ela ficou encantada demais para falar, e o príncipe Firouz Schah aproveitou seu silêncio para lhe explicar tudo o que havia acontecido, seu desespero ao vê-la desaparecer diante de seus olhos, o juramento que havia feito de procurá-la pelo mundo e seu êxtase ao finalmente descobri-la no palácio de Cashmere. Quando ele terminou, ele implorou que a princesa lhe contasse como havia chegado ali, para que ele pudesse conceber melhor algum meio de resgatá-la da tirania do sultão.

Bastaram algumas palavras da princesa para que ele se inteirasse de toda a situação e de como ela havia sido forçada a fazer o papel de uma mulher louca para escapar de um casamento com o sultão, que nem mesmo teve a polidez suficiente para pedir seu consentimento. Se necessário, ela havia resolvido morrer antes de se permitir ser forçada a tal união e quebrar a promessa com o príncipe a quem amava.

O príncipe então perguntou se ela sabia o que havia acontecido com o cavalo encantado desde a morte do vendedor, mas a princesa não tinha ouvido nada sobre isso. Mesmo assim, ela não imaginou que o cavalo pudesse ter sido esquecido pelo sultão, depois de tudo que ela lhe contara sobre seu valor.

O príncipe concordou, e eles tentaram criar um plano para que ela pudesse escapar e voltar com ele para a Pérsia. E, como primeiro passo, ela deveria se vestir com cuidado e receber o sultão com civilidade quando ele a visitasse na manhã seguinte.

O sultão ficou emocionado ao saber o resultado da suposta consulta do médico. No entanto, ele se contentou em garantir a ela o quanto estava feliz por ver a saúde da princesa tão melhorada e a exortou a recorrer a um médico tão hábil e a depositar nele toda a confiança. Em seguida, retirou-se, sem esperar resposta da princesa.

O príncipe da Pérsia saiu da sala ao mesmo tempo e perguntou se ele poderia humildemente perguntar por quais meios a princesa de Bengala havia chegado a Cashmere, que ficava tão distante do reino de seu pai, e como ela viera parar lá sozinha. O sultão achou a pergunta muito natural e contou-lhe a mesma história que a princesa de Bengala contara, acrescentando que havia ordenado que o cavalo encantado fosse guardado junto ao tesouro real, embora ele não tivesse nenhuma ideia de como o cavalo poderia ser usado.

– Senhor – respondeu o falso médico –, a história de vossa alteza me forneceu a pista de que eu precisava para completar a recuperação da princesa. Durante sua viagem para cá em um cavalo encantado, uma parte de seu encantamento foi de alguma forma passada a ela e só pode ser destruída por certos perfumes dos quais possuo o segredo. Se vossa alteza se dignar a consentir a dar à corte e ao povo um dos espetáculos mais surpreendentes que já viram, ordene que o cavalo seja trazido para a grande praça fora do palácio e deixe o resto comigo. Eu prometo que em poucos segundos, na presença de toda a multidão reunida, você verá a princesa tão saudável em mente e corpo como sempre foi em sua vida. E, para tornar o espetáculo o mais impressionante possível, eu sugeriria que ela fosse ricamente vestida e coberta com as mais nobres joias da coroa.

O sultão concordou prontamente com tudo o que o príncipe propôs e, na manhã seguinte, ordenou que o cavalo encantado fosse retirado do tesouro e levado para a grande praça do palácio. Logo começou a se espalhar o boato de que algo extraordinário estava para acontecer, e uma tal multidão começou a se juntar que os guardas tiveram que ser chamados para manter a ordem e abrir caminho para o cavalo encantado.

Quando tudo estava pronto, o sultão apareceu e ocupou seu lugar em uma plataforma, rodeado pelos principais nobres e oficiais de sua corte. Ao se sentarem, viram a princesa de Bengala saindo do palácio, acompanhada pelas damas que lhe haviam sido designadas pelo sultão.

Ela se aproximou lentamente do cavalo encantado e, com a ajuda de suas damas, montou nele. Imediatamente ela estava na sela, com os pés nos estribos, e o príncipe jogou por cima deles um perfume composto de todos os tipos de aromas deliciosos. Em seguida, cruzou as mãos sobre o peito e, com os olhos baixos, caminhou três vezes em volta do cavalo, murmurando certas palavras. Logo subiu dos braseiros em chamas uma fumaça densa que quase escondeu o cavalo e a princesa, e esse era o momento que ele esperava. Saltando atrás da princesa, ele se inclinou para frente e girou o parafuso. Assim que o cavalo disparou pelo ar, ele gritou alto de modo que suas palavras foram ouvidas por todos os presentes:

– Sultão de Cashmere, quando você deseja se casar com princesas que buscaram sua proteção, aprenda primeiro a obter o consentimento delas.

Foi assim que o príncipe da Pérsia resgatou a princesa de Bengala e voltou com ela para a Pérsia, onde desceram desta vez diante do palácio do próprio rei. O casamento foi adiado apenas o suficiente para tornar a cerimônia o mais brilhante possível e, assim que as comemorações terminaram, um embaixador foi enviado ao rei de Bengala para informá-lo do que havia acontecido e pedir uma aliança entre os dois países, o que ele consentiu de coração.

As viagens e aventuras de Simbad, o Marujo

(de *As mil e uma noites*. Antoine Galland, 1704)[2]

A vida de Simbad é cheia de perigos,
Cheia de naufrágios, cheia de fome;
Cheia de riquezas de grande valor,
Cheia de tudo, menos da verdade.

As viagens de Simbad, o marujo, são um ciclo de histórias de origem no Oriente Médio. Simbad, o herói destas histórias, é um marinheiro fictício originário de Bagdá, que, no curso de sete viagens pelos mares a leste da África e ao sul da Ásia, vive aventuras fantásticas em reinos mágicos, encontrando monstros e testemunhando fenômenos sobrenaturais.

Nos tempos do califa Haroun-al-Raschid, vivia na cidade de Bagdá um pobre carregador chamado Hindbad. Um dia, quando o tempo estava excessivamente quente, Hindbad foi contratado para carregar um fardo pesado até muito longe na cidade onde morava. Quase desmaiando com o calor, muito cansado e tendo ainda um longo caminho a percorrer, ele entrou em uma rua onde uma brisa refrescante soprava em seu rosto e a calçada cheirava a água de rosas. Feliz por encontrar tal lugar de descanso, ele largou sua carga e sentou-se ao seu lado, perto de uma grande casa.

---

2. Aviso de conteúdo. Esta história apresenta ideias ou usa palavras ou frases que são ofensivas e não condizem com os princípios da editora.

As janelas estavam abertas, e Hindbad percebeu o cheiro dos perfumes mais ricos que vinham de dentro. Em seguida, ele ouviu um maravilhoso concerto de todos os tipos de instrumentos musicais, misturados com as melhores vozes e as notas melodiosas de rouxinóis e outros pássaros raros. Hindbad nunca tinha estado naquele bairro da cidade antes e sentiu um grande desejo de saber a quem pertencia aquela magnífica casa. Vendo um criado parado no portão em uma libré esplêndida, ele avançou em direção a ele e, com grande humildade, perguntou o nome do dono da casa.

– Será possível – disse o servo – que você seja um habitante de Bagdá e não saiba que esta é a casa de Simbad, o Marujo, o famoso viajante que deu a volta ao mundo?

O pobre Hindbad, que sempre tinha ouvido falar das maravilhosas riquezas de Simbad, o Marujo, virou-se tristemente e sentou-se outra vez ao lado do grande fardo que tinha que carregar, gritando em voz alta:

– Ai de mim! Qual a diferença entre este homem afortunado e eu? Estou todos os dias exposto às maiores fadigas e a todas as misérias da extrema pobreza. Dificilmente poderei ganhar o suficiente para comprar um pão de cevada para sustentar minha família, enquanto o feliz Simbad gasta profusamente riquezas e leva uma vida de conforto e prazer contínuos. Ó céus! O que ele fez para ter tanta sorte? E por que estou condenado a tanta miséria?

Assim dizendo, Hindbad, dominado pela tristeza, jogou-se no chão e chorou amargamente.

Enquanto o pobre homem tolerava sua dor, um criado saiu da casa e, pegando-o pelo braço, disse-lhe que o senhor Simbad desejava falar com ele imediatamente. Hindbad ficou com muito medo, pensando que Simbad tinha ouvido suas lamentações e iria reprová-lo ou puni-lo. Portanto, tentou evitar de entrar em casa, dizendo que estava com pressa e que não podia deixar seu fardo na rua. O servo de Simbad, no entanto, não aceitaria uma recusa, porque as ordens de seu mestre eram absolutas e, chamando outro criado para cuidar das mercadorias, conduziu o homem a um grande salão, no qual um grande grupo estava sentado em volta de uma mesa coberta com todos os tipos de iguarias servidas em pratos de prata e ouro. Na ponta da mesa, estava Simbad, um homem formoso e venerável com uma longa barba branca.

O terror de Hindbad aumentou ao ver tantas pessoas, então ele tremeu e ficou para trás, até que Simbad, da maneira mais cortês que se possa imaginar, pediu que ele se aproximasse, serviu-lhe dos pratos mais escolhidos e deu-lhe um excelente vinho em uma taça de cristal.

Ao terminarem o jantar, Simbad perguntou seu nome e sua ocupação.

– Meu nome é Hindbad, senhor, e eu não sou nada além de um pobre carregador.

– Bem, Hindbad – respondeu o dono da casa –, eu e meus amigos aqui estamos muito felizes em vê-lo: mas eu o chamei por causa de algumas palavras que ouvi você dizer, enquanto estava perto daquela janela.

— Ai de mim! — exclamou Hindbad, levantando-se da cadeira e corando excessivamente. — Confesso que meu cansaço e o calor do dia me deixaram de mau humor e me fizeram falar muitas coisas indiscretas, que imploro para que me perdoem.

— Meu bom amigo — respondeu Simbad —, não sou tão injusto a ponto de ficar ofendido com você, pelo contrário, tenho pena de sua condição. Quando ordenei que fosse trazido para cá, foi para te convencer de que não atingi essa condição feliz sem suportar mais sofrimentos e encontrar maiores perigos do que se pode bem imaginar. Sim, senhores — acrescentou, olhando em volta da mesa para seus convidados —, garanto-lhes que minhas dificuldades foram tão extraordinárias que seriam suficientes para desencorajar o homem mais cobiçoso de correr os mesmos perigos em busca de riquezas. Para convencê-los da verdade do que afirmo, irei, se estiverem dispostos a me ouvir, relatar a história das aventuras extraordinárias que encontrei no decorrer de minhas sete viagens.

Todos pareceram entusiasmados, e Simbad, tendo ordenado a um servo que carregasse a carga de Hindbad para o local designado, começou sua narração assim:

A PRIMEIRA VIAGEM DE SIMBAD

Meu pai morreu quando eu era muito jovem e me deixou uma fortuna considerável. Sem ninguém para me guiar ou me controlar e estando rodeado apenas por pessoas perdulárias, continuei meus excessos até que fiquei doente. Meus amigos desordeiros então me abandonaram e eu fui deixado sozinho para lutar contra minhas doenças e suportar a severidade do remorso. Por fim, recuperei-me e, decidido a nunca mais voltar ao meu antigo modo de vida, juntei os restos de minha fortuna, vendi meus móveis e embarquei com vários mercadores a bordo de um navio, que tínhamos carregado conjuntamente com mercadorias, para o porto de Balsora.

No decorrer da nossa viagem, visitamos várias ilhas, onde vendemos ou trocamos nossas mercadorias. Um dia, estávamos em uma calmaria perto de uma pequena ilha quase no nível da superfície da água, quando o capitão ordenou que suas velas fossem enroladas, e nós mercadores, decidiram carregar nossas provisões e jantar por lá. Enquanto estávamos no meio dos preparativos para o jantar, rindo e acendendo uma grande fogueira para preparar a refeição, a ilha começou a se mover e, no mesmo momento, aqueles que ficaram no navio nos chamaram para voltar.

– Embarquem imediatamente ou estaremos todos perdidos! O que pensávamos ser uma ilha é o dorso de uma baleia monstruosa!

Os mais ágeis pularam nas ondas e começaram a nadar, mas, eu ainda estava nas costas da baleia quando ela mergulhou no mar e só tive tempo de agarrar-me ao largo pedaço de madeira que nos servia de mesa. Com ele, eu flutuei, mas a corrente me levou para longe do navio e, tendo o capitão recebido a bordo todos menos eu, concluiu que eu havia morrido. Com um vento forte favorável surgindo, ele içou as velas e prosseguiu sua viagem.

Lutei para me salvar o resto do dia e da noite. Na manhã seguinte, descobri que minhas forças haviam acabado, mas felizmente uma onda me jogou contra uma ilha. A margem era íngreme, porém, mesmo fraco e exausto como estava, escalei algumas raízes de árvores, que pareciam ter sido preservadas naquele lugar para minha segurança. Me deitei até o sol aparecer, quando, rastejando sobre minhas mãos e joelhos em busca de algumas ervas para comer, encontrei uma fonte de água excelente. Após me refrescar muito com a água, avancei mais ao longo da costa alta da ilha até chegar a uma caverna. Me deitei e dormi profundamente durante muitas horas. Quando acordei, era quase o pôr do sol. Saí apressadamente de minha caverna em busca de alguma habitação. Não encontrei nenhuma, mas logo cheguei a uma pequena planície, rodeada de belas árvores com todos os tipos de frutos. O que mais me surpreendeu, entretanto, foi ver um grande número de belos potros pastando juntos, mas nenhum vestígio de qualquer outro animal. Jantei frutas e subi nos galhos de uma árvore alta para me hospedar. Por volta da meia-noite, fiquei muito surpreso ao ouvir o som de trombetas, que pareciam atravessar por toda a ilha e continuaram durante a noite. Quando amanheceu, porém, tudo ainda parecia deserto. No dia seguinte, descobri que a ilha era pequena e redonda, não havia outra terra à vista e me dei como morto. Cada parte da costa estava repleta de enormes cobras marinhas e de peixes gigantes, alguns com cabeças de corujas e outros com rostos humanos. Esses monstros marinhos me pareceram inofensivos, pois, depois de me virem chacoalhar dois gravetos, eles mergulharam no mar, e eu não os vi mais.

Subi em minha árvore novamente naquela noite, e os tambores e as trombetas da madrugada pareciam estar ainda mais altos do que antes. No terceiro dia, para minha grande alegria, um grupo de homens desembarcou na ilha e ficaram completamente surpresos ao me encontrar ali. Tendo relatado a eles o estranho acidente que se abatera sobre mim, eles me deram algumas provisões, e me informaram que eram os cavalariços do rei Mihrage. Disseram também que a ilha na qual fui parar se chamava Cassel e pertencia ao gênio guerreiro Degial, que a visitava todas as noites com tambores e trombeta. Contaram-me que o gênio, sendo amigo do rei Mihrage, permitiu-lhe treinar seus jovens potros na ilha, que tinha um pasto admirável, para que eles se tornassem os cavalos mais rápidos e melhores do mundo. Soube também que eles, os cavalariços do rei, eram enviados a cada seis meses para a ilha, para selecionar os cavalos jovens que pudessem ser colocados nos estábulos reais.

Os cavalariços me levaram com eles para a capital do rei Mihrage, que era um belo porto, onde navios chegavam diariamente de todos os cantos do mundo. O rei ofereceu-me um quarto em um de seus palácios e ficou muito contente com minha conversa.

Um dia, tendo caminhado até o cais principal, vi que vários marinheiros estavam ocupados descarregando um navio recém-chegado. Ao lançar os olhos sobre alguns dos fardos de mercadorias que desembarcavam, percebi que, pelas marcas que eram os mesmos que eu colocara a bordo quando embarquei para Balsora. Eu também conhecia o capitão, mas, supondo que ele acreditasse que eu havia morrido, perguntei descuidadamente a quem pertenciam aqueles fardos.

– A um comerciante de Bagdá – respondeu ele – que infelizmente morreu no mar e pretendo vender suas mercadorias até me encontrar com alguns de sua família, a quem prestarei contas do lucro.

– Capitão – disse eu –, sou Simbad e esses fardos são meus.

O capitão, levantando as mãos e os olhos com espanto, gritou em voz alta:

– Não resta fé entre os homens? Eu e muitos dos meus passageiros vimos Simbad engolido pelas ondas, muitas centenas de léguas daqui, e ainda assim você me diz que é Simbad. Como ousa? Você parece um homem honesto e ainda assim diz uma falsidade horrível para se possuir daquilo que não pertence a você.

Mas algumas pessoas vindas do navio me reconheceram instantaneamente, e não demorei a convencer o capitão de que eu era o verdadeiro Simbad, não um impostor. Ofereci-lhe parte de meus bens em retribuição por sua probidade, mas ele recusou firmemente.

Em seguida, selecionei os artigos mais valiosos de meus fardos e os apresentei ao rei Mihrage, que aceitou meu presente. Despedi-me dele e de toda a corte, embarcando no mesmo navio, depois de ter trocado minhas mercadorias pelas mercadorias do campo. Vim para a cidade com cem mil moedas de ouro, e aqui comprei escravos de ambos os sexos, belas terras, construí uma grande casa e me estabeleci, determinado a esquecer os perigos do passado e a desfrutar dos prazeres da vida.

Simbad então ordenou que os músicos continuassem com o concerto e, quando terminou, deu uma bolsa com cem moedas de ouro a Hindbad, dizendo:

— Pegue isto, Hindbad, volte para casa e aproveite a noite com sua família, mas volte amanhã, quando ouvirá aventuras muito mais extraordinárias que se abateram sobre mim do que as da minha primeira viagem.

O homem voltou para casa espantado com a honra que lhe foi prestada; e sua esposa e filhos, em sua abundante ceia, oraram a Deus para conceder uma vida longa ao generoso Simbad.

No dia seguinte, Hindbad vestiu suas melhores roupas e voltou para a casa do generoso viajante, que o recebeu gentilmente e, depois de um suntuoso jantar, ele começou a história de sua segunda viagem.

A SEGUNDA VIAGEM DE SIMBAD

Planejei, depois de minha primeira viagem, passar o resto de meus dias em Bagdá, mas logo me cansei de uma vida tranquila. Consequentemente, comprei mercadorias valiosas e fui para o mar uma segunda vez, com alguns outros mercadores. Um dia, aportamos em uma ilha desabitada, quase inteiramente coberta de árvores com frutos deliciosos. Enquanto uns se divertiam colhendo flores e outros colhendo frutas, peguei meu vinho e alimentos e me sentei à beira de um riacho, entre duas grandes árvores, que formavam uma sombra agradável. Depois de comer, adormeci. Não sei dizer quanto tempo dormi, mas, quando acordei, não apenas meus companheiros, mas o próprio navio havia partido. Nada poderia exceder minha tristeza e consternação naquele momento. Gritei de agonia e me joguei no chão, onde fiquei um dia na mais profunda aflição, e repreendi amargamente minha loucura por não ter me contentado em permanecer em paz e segurança em casa.

Depois de um longo intervalo, conformei-me com meu infortúnio. Subi ao topo de uma árvore muito alta para ver se havia alguma coisa que pudesse me dar esperança. Quando olhei para o mar, não vi nada além do céu e da água; mas, olhando em direção à ilha, percebi algo grande e branco. A distância era grande demais para me permitir distinguir o que realmente era; desci rapidamente da árvore e corri em sua direção.

Ao me aproximar, pensei que fosse uma grande tigela branca e, quando cheguei bem perto da coisa e a toquei, descobri que era lisa como marfim. Dei a volta, para ver se estava aberta de algum lado, mas não estava e era impossível subir até o topo de tão lisa e escorregadia que era a superfície. Ela tinha pelo menos cinquenta metros de largura.

A essa altura, o sol estava quase se pondo e, de repente, o céu escureceu bastante. Eu olhei para cima para ver o que havia ocasionado essa escuridão repentina e vi um pássaro de tamanho enorme movendo-se como uma grande nuvem negra em minha direção. Imediatamente me lembrei de ter ouvido marinheiros falarem de um pássaro chamado Roc, tão grande que podia carregar elefantes jovens, e concluí que a grande tigela branca que eu tanto admirava devia ser seu ovo. Eu estava certo em minha suposição, pois o pássaro pousou e sentou-se sobre ele. Ao percebê-lo chegando, aproximei-me do ovo para me abrigar, de modo que tive diante de mim uma das pernas do pássaro, que era tão grande quanto o tronco de uma árvore.

Amarrei-me firmemente à perna do Roc com o tecido do meu turbante, na esperança de que, quando ele voasse na manhã seguinte, me carregasse para fora da ilha deserta. Tendo passado a noite nessa condição, o pássaro voou na manhã seguinte e me carregou tão alto no ar que eu não pude ver a terra; e de repente desceu tão rápido que perdi meus sentidos. Ao voltar a mim e encontrar o Roc no chão, desamarrei rapidamente o pano que me prendia à sua perna e mal havia conseguido me soltar quando o pássaro, tendo apanhado uma grande serpente em seu bico, voltou a voar.

O lugar em que o Roc me deixou era um vale profundo, cercado por todos os lados por altas montanhas, cujos cumes elevados pareciam alcançar as nuvens. Seus lados eram tão íngremes que era impossível subir. Quando comparei aquele vale com a ilha deserta de onde o Roc me levara, descobri que não havia ganhado nada com a troca.

Enquanto eu caminhava para cima e para baixo no vale, meditando sobre minha má sorte, observei que o solo estava coberto de diamantes de tamanho surpreendente. Tive grande prazer em olhar para eles, mas também vi seres que não poderia contemplar sem terror e consternação: eram serpentes espiando para fora dos buracos nas rochas.

Afastei-me delas o máximo que pude e passei o dia pensando em como poderia escapar daquela cena de horror. Quando a noite chegou, abriguei-me em uma caverna, cuja entrada cobri com grandes pedras para me proteger das cobras, mas seus assovios eram tão contínuos durante toda a noite que eu não conseguia fechar os olhos. Quando o dia amanheceu, as serpentes retiraram-se para suas tocas e eu saí da caverna tremendo.

Andei muito tempo pelos diamantes sem a menor inclinação em tocar nenhum deles. Por fim, sentei-me e, dominado pelo cansaço, adormeci. Fui acordado pelo barulho de algo caindo perto de mim. Era um ótimo pedaço de carne fresca, e imediatamente vi vários outros caírem das rochas em diferentes lugares.

Imediatamente me ocorreu o relato que tinha ouvido sobre o famoso Vale do Diamante e os estratagemas usados para obter joias de lá: que os mercadores chegavam ao topo dessas montanhas, perto de onde as águias constroem seus ninhos, e jogavam pedaços de carne crua no vale, nos quais os diamantes grudavam. Então as águias, atraídas pelo cheiro da carne, atacam-na com grande fúria e a carregam para seus ninhos para alimentar seus filhotes, então, os mercadores espantam as águias e levam os diamantes.

A queda da carne no vale deu-me esperanças de sair com vida daquele abismo terrível. Portanto, apressei-me a apanhar alguns dos maiores diamantes que pude encontrar, os quais coloquei cuidadosamente em uma pequena bolsa e a prendi ao meu cinto. Escolhi o maior pedaço de carne do vale, o amarrei à cintura com o pano do turbante, e me deitei de bruços para esperar a descida das águias. Elas não demoraram a chegar, e uma das mais fortes, tendo se lançado sobre a carne nas minhas costas, voou comigo para seu ninho no topo da montanha.

Os mercadores começaram a gritar para assustar as águias e, quando as obrigaram a abandonar a presa, um deles foi ao ninho onde eu estava. No começo, ele ficou muito assustado ao me ver, mas, recuperando-se, começou a brigar comigo e me acusou de roubar seus bens.

— Não se preocupe, eu tenho diamantes suficientes para você e para mim também, muito mais do que todos os outros mercadores juntos.

Eu mal tinha acabado de falar quando os mercadores se reuniram ao nosso redor. Contei minha história a eles, que ficaram igualmente surpresos com ela. Quando me levaram até o local onde se abrigaram, abri a bolsa e eles declararam que nunca haviam visto diamantes do mesmo tamanho e brilho. Pedi ao comerciante, para cujo ninho eu fora transportado, que levasse quantos quisesse, mas ele se contentou em levar um dos menores, declarando que era de valor suficiente para fazer fortuna.

Passei a noite com os mercadores, aos quais contei pela segunda vez minha história. Não consegui moderar a alegria que sentia por ter escapado daquele perigo. De fato, às vezes, parecia-me que estava sonhando e, muitas vezes, me questionava se realmente estava em segurança fora do vale inacessível.

Quando os mercadores reuniram os seus diamantes, saímos do local na manhã seguinte, atravessando as montanhas até chegarmos a um porto. Desembarcamos na ilha de Roha, onde crescem as árvores que produzem cânfora. Troquei alguns de meus diamantes por outras mercadorias e de lá partimos para Balsora, continuamos minha viagem por terra até Bagdá; e, mais uma vez, cheguei à minha cidade natal. Eu dei grandes esmolas aos pobres e vivi lá por algum tempo.

Assim, Simbad encerrou a história de sua segunda viagem, presenteou Hindbad com outra bolsa e desejou que ele voltasse no dia seguinte, o que o jovem não deixou de fazer. Terminado o jantar, o mestre da festa retomou a narração.

A TERCEIRA VIAGEM DE SIMBAD

Os prazeres e confortos de que agora desfruto me fizeram esquecer de minhas dificuldades anteriores. Eu ainda estava na flor da idade, sentia-me disposto e tinha grande desejo de fazer uma terceira viagem e, levando as mercadorias mais ricas do Egito, embarquei mais uma vez no porto de Balsora.

Depois de algumas semanas no mar, fomos surpreendidos por uma terrível tempestade, que quase partiu o navio em pedaços. Navegamos à mercê dos ventos e das ondas durante vários dias e, por fim, fomos obrigados a lançar âncora diante de uma ilha, para a qual o capitão se esforçara em vão para guiar. Ele nos informava que esta e várias outras ilhas vizinhas eram habitadas por selvagens, cobertos de pelos, que nos atacariam rapidamente em grande número.

Logo descobrimos que as informações do capitão eram verdadeiras. Um bando de selvagens terríveis, com cerca de sessenta centímetros de altura e totalmente cobertos de cabelos ruivos, veio nadando em nossa direção e embarcou no navio, falando em uma língua que não podíamos compreender uma palavra. Em um instante, eles tiraram as velas, cortaram o cabo, rebocaram o navio para a terra e, obrigando todos a desembarcarem, levaram nosso navio em triunfo para outra ilha.

Adentramos a ilha onde paramos, profundamente consternados, sem esperar nada além da morte. Quando avançamos um pouco, avistamos uma enorme construção e fomos até lá. Descobrimos que era um palácio elevado, com um portão dobrável de ébano, entramos em um pátio espaçoso, que levava a um vasto aposento com varanda, tendo de um lado um grande monte de ossos humanos e do outro vários espetos para assar. Diante daquele espetáculo terrível, nossas pernas tremeram sob nós e caímos no chão, onde ficamos imóveis de medo, pensando que poderíamos compartilhar o mesmo destino.

O portão do aposento se abriu e saiu de lá um monstro preto da altura de uma palmeira. Ele tinha apenas um olho, que estava bem no meio da testa, e parecia uma bola de fogo. Seus dentes eram longos e afiados, o lábio inferior pendia sobre o peito, suas orelhas pareciam as de um elefante e cobriam seus ombros, e suas unhas eram muito longas e tortas.

Ao ver um gigante tão horrível, quase desmaiamos enquanto ele se sentava na varanda olhando para nós. Finalmente, ele avançou e me pegou pela pele do pescoço, mas, tendo-me observado bem e percebido que não passava de pele e osso, atirou-me ao chão com desdém. Pegou todo o resto, um por um, e examinou-os da mesma maneira, e o pobre capitão, sendo o mais gordo de nós, caiu vítima de seu apetite selvagem: ele foi morto, assado e comido pelo monstro terrível.

Quando o gigante de um olho acabou sua refeição selvagem, ele se esticou sobre um grande banco de pedra no pórtico e adormeceu roncando mais alto que um trovão. Assim dormiu até de manhã. De nossa parte, era impossível dormirmos e passamos a noite nos temores mais angustiantes que se possa imaginar. Chegando o dia, o gigante acordou, levantou-se, espreguiçou-se e saiu, deixando-nos no palácio, que agora ressoava com nossos gritos e lamentações. Por fim, clamei aos meus companheiros de infortúnio:

– Não percamos tempo com tristezas inúteis. Façamos boias com a madeira que vimos na costa e nelas nos entreguemos ao mar. É melhor nos confiarmos à misericórdia dos ventos e das ondas do que continuar aqui para morrer um após o outro, vítimas do apetite daquele monstro devorador.

Meu conselho foi avidamente adotado. Descemos rapidamente para a costa do mar, levando conosco as ferramentas do aposento, e trabalhamos duro para preparar nossas boias para nos levar para o mar, antes que o gigante descobrisse que havíamos partido. Só as havíamos terminado à noite e, antes que pudéssemos empurrá-las da praia, nosso tirano veio à nossa procura e nos conduziu como um rebanho de ovelhas diante dele para o palácio. Tivemos a angústia de ver outro de nossos desafortunados camaradas assado para o jantar, e, farto com o banquete brutal, ele se deitou de costas e começou a roncar tão alto que o lugar ecoou com o barulho.

Nossa situação desesperadora nos deu coragem para tentar algumas formas de escapar. Nove dos mais resolutos de nós se levantaram suavemente e, pegando nove espetos, seguraram suas pontas no fogo até que estivessem em brasa e, em seguida, enfiaram todos de uma vez no olho do monstro, cegando-o. A dor o fez soltar um grito terrível, e ele começou a tatear com as mãos para nos pegar, para nos sacrificar à sua raiva, mas tomamos o cuidado de nos manter fora de seu alcance e, tendo nos procurado há algum tempo em vão, ele abriu o portão de ébano e saiu do palácio uivando terrivelmente.

Não ficamos muito atrás dele, mas corremos para nos esconder e esperamos o raiar do dia para embarcar. Mal era visível o primeiro raio de sol quando vimos nosso monstruoso inimigo se aproximando da costa, liderando outros da mesma espécie. Imediatamente pulamos sobre nossas boias e as empurramos da costa o mais rápido possível. A maré nos ajudou muito, mas os gigantes, nos vendo com possibilidade de escapar, arrancaram grandes pedaços de rocha dos penhascos e, entrando na água até a cintura, os lançaram contra nós com todas as suas forças. Imediatamente afundaram todas as boias, exceto aquela em que eu estava, e todos os meus companheiros, menos os dois comigo, morreram afogados. Assim, com grande dificuldade, escapamos do destino de nossos companheiros.

Durante dois dias, ficamos no mar e acreditamos que morreríamos por falta de comida, isso se não fôssemos engolidos pelas ondas. Na noite do segundo dia, porém, chegamos a uma ilha, onde encontramos excelentes frutas e boa água, com as quais nos refrescamos e deitamos para dormir à sombra das árvores.

Fomos logo acordados pelos terríveis assobios de uma enorme serpente, que vinha deslizando pelo chão com incrível rapidez. Um de meus infelizes camaradas foi engolido, enquanto eu e o outro fugimos, escalando a árvore mais alta que encontramos para nos proteger de seu ataque. Logo, a serpente veio sibilando para a raiz da árvore e, enrolando-se em torno do tronco, ergueu a cabeça tão alto que logo alcançou meu único companheiro restante, que se sentou muito mais baixo na árvore do que eu, e o devorou como o anterior. Fiquei sentado imóvel de terror, já mais morto do que vivo, mas a criatura monstruosa se desenrolou da árvore e deslizou para longe.

Esperei na árvore até tarde do dia seguinte e, sem sinal algum da serpente, me aventurei a descer. Meu medo tirou todas as minhas forças e eu era incapaz de explorar a ilha em busca de um lugar seguro. Não pude deixar de desejar que meu barco tivesse sido afundado pelos gigantes junto com os outros, pois parecia-me que minha vida apenas se prolongava para que pudesse suportar o mais cruel dos sofrimentos. Juntei uma grande quantidade de pequenas madeiras, amoreiras e espinhos secos e, transformando-os em gravetos, formei com eles um grande círculo ao redor da árvore e prendi a parte superior aos galhos da árvore. Tendo terminado meu trabalho, fechei-me dentro do círculo, e quando retornou, a serpente não conseguiu entrar, como eu esperava. Ela deu voltas e mais voltas na árvore em busca de uma entrada, mas a muralha que eu fizera me protegeu com eficácia. Ela ficou deitada até o raiar do dia como um gato olhando um rato. Ao amanhecer, ela retirou-se e, depois que o sol nasceu, arrisquei a deixar meu esconderijo.

Estava tão exausto com a falta de sono e tinha sofrido tanto com seu hálito venenoso que a morte me parecia mais desejável do que viver, então corri em direção ao mar, decidido a me jogar. Quando estava prestes a cumprir minha determinação precipitada, percebi um navio a toda vela a uma distância considerável. Gritei o mais alto que pude pedindo ajuda, e o capitão mandou seu barco me buscar. Assim que subi a bordo, o capitão, vendo que eu estava em frangalhos, deu-me alguns de seus ternos e tratou-me com grande atenção em todos os aspectos.

Quando ancoramos no porto de Jalabat, o capitão chamou-me e disse:

– Senhor, tenho aqui alguns fardos de mercadorias que pertenciam a um comerciante que navegou comigo há algum tempo, e, tendo em vista que ele está morto, pretendia dispor deles para o benefício de seus herdeiros.

Perguntei ansiosamente o nome do proprietário morto e, para minha surpresa, me disseram que se chamava Simbad.

Não pude ouvir o meu nome sem emoção e, olhando com seriedade para o capitão, lembrei-me de ter sido ele que, na minha segunda viagem, me deixou na ilha onde adormeci e zarpou sem mim.

– Você acredita, então – disse eu –, que Simbad está morto?

– Certamente – respondeu ele –, pois um dia, quando chegamos a uma pequena ilha desabitada para coletar água, não sei por que motivo, zarpei sem observar que ele não estava a bordo com os outros passageiros e só me dei conta de sua ausência quatro horas depois. Portanto, não pode haver dúvida de que ele morreu naquela ilha desabitada.

– Não, capitão – exclamei –, não morri. Você está na frente de Simbad, que escapou desse e de muitos outros perigos.

O capitão ficou convencido e ansiosamente me entregou as mercadorias, prestando contas daquelas que ele já havia vendido.

Continuei minha viagem com o capitão honesto, vendi minha mercadoria com muito lucro e, finalmente, retornei a Bagdá com grande aumento de riquezas.

Tendo terminado a narração de sua terceira viagem, Simbad levantou-se da mesa e, dando outro presente a Hindbad, convidou-o para jantar no dia seguinte, para ouvir as aventuras da quarta viagem.

A QUARTA VIAGEM DE SIMBAD

Após resolver meus negócios, comecei uma viagem por terra para a Pérsia e, tendo comprado um grande estoque das belas manufaturas daquele país, carreguei um navio e embarquei com minhas mercadorias. Estávamos no mar há poucos dias quando o navio bateu em uma rocha e logo se despedaçou. A carga foi para o fundo, e muitos dos mercadores e marinheiros morreram afogados.

Eu e alguns outros nos salvamos em uma prancha e fomos carregados pela corrente para uma ilha que estava diante de nós. Chegamos em segurança à costa, e assim que entramos na ilha, fomos cercados por selvagens, que nos agarraram e nos dividiram entre eles.

Eu e cinco de meus companheiros fomos levados por um homem que ordenou que nos sentássemos e nos deu algumas ervas para comer. Meus companheiros comeram as ervas com avidez, mas eu as mantive na mão sem ingeri-las. Logo observei que meus companheiros perdiam o juízo e, quando falavam, não sabiam o que diziam. Joguei, fora as ervas, decidindo nunca as provar. Arroz preparado com óleo de cacau foi dado a nós em seguida, e meus infelizes camaradas o devoraram avidamente.

Logo percebi que os selvagens nos deram ervas para roubar nossos sentidos, nos engordar e depois nos devorar. Assim, vi os canibais comerem meus camaradas, um após o outro; mas eu, em vez de engordar, tornei-me mais magro a cada dia e caí em desnutrição. Isso acabou me salvando, pois os selvagens não me consideravam digno de ser comido. Eles me negligenciavam totalmente e, um dia, quando foram para a floresta, resolvi fugir. Tive o cuidado de providenciar o máximo de arroz que meu estado de fraqueza permitiria e roubei.

Eu peguei o caminho contrário ao que os selvagens haviam ido e viajei a noite toda, então parei e jantei meu arroz. Depois de descansar com um sono rápido, continuei minha jornada. Viajei dessa maneira durante sete dias e, no oitavo dia, avistei a orla, onde vi várias pessoas como eu colhendo pimenta.

Aproximei-me deles sem medo, e eles correram ao meu encontro e me questionaram em árabe sobre quem eu era e de onde vim. Rapidamente satisfiz sua curiosidade, contando-lhes meu naufrágio e minha fuga dos selvagens. Essas pessoas dividiram sua comida comigo e, em poucos dias, recuperei minhas forças e naveguei com eles para a ilha de onde vieram. Eles me apresentaram ao seu rei, que era um bom príncipe; ele ouviu minhas aventuras, me deu roupas e ordenou que eu fosse cuidado. Eu me considero muito afortunado pelo tratamento gentil que recebi desse generoso monarca.

Pareceu-me muito extraordinário ver que, quando o rei e seus nobres iam caçar, montavam seus cavalos sem rédeas ou sela. Não pude deixar de questionar vossa majestade sobre o motivo para isso. O rei me ouviu com uma expressão de surpresa e então me garantiu que não sabia o que eu queria dizer com "rédeas e sela". Depois disso, procurei um trabalhador muito habilidoso e dei-lhe o modelo de uma sela e, sob minha supervisão constante, ele a fez muito bem. Eu mesmo a cobri com veludo bordado. Fui então a outro homem, para quem desenhei as rédeas e os estribos.

Coloquei-os sobre um dos cavalos do rei e apresentei-o à sua majestade, que ficou tão encantado que montou imediatamente e cavalgou pelos terrenos pertencentes ao palácio quase todo o dia, enquanto os seus ministros, os principais oficiais da corte e outros da nobreza reuniram-se ao meu redor, implorando que os desenhasse para eles. Recebi presentes tão magníficos para minhas selas e freios que logo fiquei rico.

Fiz minha corte muito constantemente ao rei, que um dia me disse:

— Simbad, eu te amo, e todos os meus súditos seguem meu exemplo e te valorizam de acordo com teus méritos. Eu desejo fazer de ti um de meus súditos. Você deve se casar e se estabelecer em meus domínios.

Ele então me ofereceu a mão de uma de suas damas da corte, que era jovem, nobre, rica, bonita e virtuosa. Terminadas as cerimônias de casamento, retiramo-nos para a casa de minha esposa, onde vivemos em grande harmonia e contentamento.

Eu havia construído uma intimidade estrita com um de meus vizinhos e, um dia, quando estava me sentando para jantar, fui informado que sua esposa havia acabado de morrer. Apressei-me imediatamente em dar-lhe algum consolo em seu infortúnio.

– Ai! – disse ele. – Que consolo posso ter se não tenho mais de uma hora de vida restante? É a lei estabelecida neste país que o marido vivo seja sepultado com a esposa morta e a esposa com o marido morto. Nada, portanto, pode me salvar e todos devem se submeter a esta lei.

Quase desmaiei ao ouvir sobre essa lei cruel e, antes que me recuperasse de minha consternação, seus parentes, amigos e vizinhos vieram assistir a essa cerimônia bárbara. Eles vestiram a mulher com suas roupas mais ricas e a adornaram com todas as suas joias e, então, colocando-a em um caixão aberto, começaram sua marcha em direção ao local do enterro. O marido seguiu o cadáver e depois dele uma longa série de parentes e amigos, entre os quais eu era espectador. Eles subiram uma montanha extremamente alta, em cujo cume a procissão parou, e uma grande pedra foi removida, que cobria a boca de um poço muito profundo. O cadáver foi descido para a cova, e então o marido, abraçando seus parentes e amigos, deixou-se colocar em outro caixão aberto, no qual foram colocados um pote de água e sete pães pequenos, sendo então descido da mesma maneira. Terminada a cerimônia, eles cobriram o buraco novamente e voltaram para suas respectivas casas.

Fui para casa profundamente transtornado e, dia e noite, não pensei em nada além de como fugir dali. Mas, enquanto eu estava organizando mil projetos para escapar desse mal, meus piores temores se confirmaram, pois minha esposa adoeceu e morreu.

Você pode imaginar minha tristeza quando vi os preparativos para meu próprio funeral, no qual o rei e toda a sua corte, para mostrar sua consideração por mim, pretendiam ajudar.

O cadáver, em seu traje mais magnífico, foi colocado em seu caixão, e a cavalgada começou. Segui o cadáver, com os olhos cheios de lágrimas e o coração a explodir de desespero. Quando chegamos à montanha, não pude mais conter minha angústia e, jogando-me aos pés do rei, roguei-lhe, nos termos mais comoventes, que tivesse compaixão de mim, poupasse minha vida e me deixasse voltar ao meu país natal. Mas tudo que eu disse foi em vão, eles apenas se apressaram em abaixar minha esposa na cova e, no momento seguinte, fui colocado atrás dela em um caixão aberto, com um pote de água e sete pães. Em suma, eles tamparam a cova, apesar da minha dor e dos gritos lamentáveis.

Ao me aproximar do fundo, descobri, com a ajuda de uma pequena luz que vinha de cima, a natureza desse lugar subterrâneo. Era uma caverna longa, com muitos metros de profundidade. Imediatamente senti um fedor insuportável da multidão de cadáveres que vi à direita e à esquerda e até imaginei ter ouvido alguns deles suspirar e gemer. Apressei-me em deixar meu caixão e, afastando-me dos cadáveres, deitei-me no chão, onde me sentei por muito tempo banhado em lágrimas e censurando-me por ter deixado meu lar feliz.

Mesmo assim, eu ainda sentia vontade de viver e tateei o caminho de volta ao caixão em busca de um pouco do pão e da água nele, com os quais vivi por alguns dias e, depois de tudo terminado, me preparei para a morte.

Tendo vagado muito para dentro da caverna, de repente, eu ouvi algo ofegante muito forte perto de mim. Eu dei um grito, e a coisa fugiu. Eu o persegui e continuei essa perseguição por tanto tempo que finalmente vi uma luz cintilante. Isso redobrou minha ansiedade. Continuei e, às vezes, o perdia de vista, mas sempre o encontrava de novo e, por fim, descobri que vinha de um buraco na rocha, grande o suficiente para um homem sair. Eu rastejei pelo buraco e me encontrei na praia. Deixo você imaginar o tamanho de minha alegria. Quando me recuperei da surpresa, percebi que estava perseguindo um monstro marinho.

Eu examinei a montanha e descobri que ela se estendia por alguns quilômetros entre a cidade e o mar. Caí de joelhos para agradecer a Deus por minha libertação e, depois de me alimentar com alguns moluscos que encontrei na costa, voltei para a caverna e tateei entre os caixões em busca de todos os diamantes, rubis, pérolas, pulseiras de ouro e coisas de valor que pude encontrar. Carreguei-as para a praia e, amarrando-as em fardos com as cordas que baixavam os caixões, coloquei-as na areia, esperando até que algum navio passasse.

Em dois dias, um navio saiu do porto e passou por aquela parte da costa. Fiz um sinal com o turbante e mandaram um barco para me levar a bordo. Eu disse aos marinheiros que havia naufragado e acabado de chegar à costa com os fardos que viram. O capitão não me questionou mais. Encontrei um navio pronto para partir para Balsora, a bordo do qual embarquei.

O resto da minha viagem foi próspera e cheguei a Bagdá com um grande aumento de riquezas.

Simbad deu outro presente para Hindbad, com a incumbência de retornar no dia para ouvir aventuras mais surpreendentes.

A QUINTA VIAGEM DE SIMBAD

Esquecendo os perigos que havia sofrido, construí um navio às minhas próprias custas, carregado com uma rica carga, e partimos com um bom vento.

Depois de várias semanas no mar, chegamos em uma ilha deserta em busca de água doce, onde encontramos um ovo de Roc, de tamanho igual ao que mencionei anteriormente. Os mercadores e marinheiros se reuniram em torno dele com grande espanto e, embora eu os suplicasse que não tocassem no ovo, eles não desistiram, fizeram um buraco nele com suas machadinhas e assaram o jovem Roc.

Mal haviam acabado a refeição quando surgiram no ar, a distância, duas grandes nuvens. Eu sabia que eram os pais do jovem pássaro e, convocando os homens, fiz com que embarcassem e partissem.

Os dois Rocs pousaram e, ao verem o ovo destruído, fizeram um barulho terrível. Logo eles levantaram voo e desapareceram. Não demorou muito para que eles voltassem com pedras, ou melhor, rochas, de um tamanho monstruoso entre suas garras. Quando eles chegaram diretamente ao meu navio, pairaram, e um deles deixou cair a pedra, mas ela caiu no mar. O outro Roc jogou a pedra com tanta exatidão bem no meio do navio que ele se partiu em mil pedaços. Os marinheiros e passageiros morreram ou foram atirados ao mar. Este último foi meu destino, mas felizmente peguei um pedaço de madeira do barco destruído, que me levou a uma ilha cuja costa era muito íngreme.

A ilha parecia ser um jardim delicioso, repleto das melhores árvores frutíferas de todos os tipos. Ao avançar, vi um velhinho sentado na margem de um riacho. Achei que ele fosse uma pessoa infeliz que naufragara como eu e, chegando mais perto, saudei-o, mas ele apenas curvou a cabeça em resposta. Ele implorou por sinais que eu o carregaria nas minhas costas sobre o riacho. Não tive dúvidas de que ele estava enfermo e carente de ajuda, e prontamente o peguei nas minhas costas e atravessei o riacho, quando, em vez de descer, ele apertou as pernas com tanta força em volta da minha garganta que quase fui estrangulado. Incapaz de me livrar dele, desmaiei de dor e medo. Apesar do meu desmaio, o velho agarrou-se ao meu pescoço e, quando recuperei os meus sentidos, deu-me um golpe tão rude no lado que fui forçado a me levantar contra a minha vontade.

Ele então me obrigou a caminhar sob as árvores, enquanto se divertia colhendo os frutos. Ele nunca me deixou por um só momento. Quando me deitava à noite, ele se deitava comigo, com suas pernas sempre firmes em volta do meu pescoço, e todas as manhãs ele me obrigava a levantar assim que o dia amanhecesse, a partir do qual até o pôr do sol eu era forçado a suportar esse fardo odioso.

Um dia encontrei no meu caminho várias cabaças secas. Peguei uma grande e, após limpá-la, coloquei nela um pouco de suco de algumas uvas, que abundavam na ilha. Depois de encher a cabaça, deixei-a de lado por vários dias e, ao voltar a ela, achei que era um vinho excelente.

O velho, percebendo o efeito que esta bebida teve sobre mim, fez sinal para que eu lhe desse um pouco. Dei-lhe a cabaça e, como a bebida agradava seu paladar, ele bebeu tudo e ficou completamente bêbado e, aos poucos, soltou as pernas do meu pescoço, de modo que pude jogá-lo no chão, onde logo teve convulsões e tive a satisfação de testemunhar sua morte.

Fiquei extremamente feliz por ter sido libertado daquele velho detestável. Corri para a beira-mar, onde encontrei a tripulação de um navio que acabara de lançar âncora. Eles ficaram muito surpresos ao me ver e ao ouvir sobre minhas aventuras.

– Você caiu – disseram eles – nas mãos do velho do mar, e você é a primeira pessoa que escapou de ser estrangulada por ele.

Eles me levaram a bordo de seu navio e, quando chegamos ao porto de uma grande cidade, um dos mercadores me levou até algumas pessoas que moravam ali, cuja função era colher cacau, e recomendou-me aos seus cuidados. Ele também me deu uma grande bolsa com comida para a viagem.

Eu os segui e chegamos a uma grande floresta de coqueiros altos e retos, cuja casca era tão perfeitamente lisa que era impossível para qualquer homem subir até os galhos. Quando entramos na floresta, vimos um número surpreendente de macacos, que imediatamente correram para o topo das árvores com a maior rapidez.

Os mercadores com quem eu estava pegavam pedras e atiravam nos macacos, que, para se vingarem, juntavam cacau e atiravam em nós. Pegamos as nozes de cacau e continuamos atirando pedras para provocar os macacos, até que tínhamos todas as nozes que podíamos carregar. Voltamos então para a cidade, onde os mercadores me pagaram pelas minhas nozes e me aconselharam a fazer o mesmo todos os dias até que tivesse dinheiro suficiente para me levar para casa. Logo acumulei uma soma considerável e, despedindo-me de todos os mercadores gentis, embarquei alegremente a bordo de um navio e voltei para casa em segurança.

Quando Simbad terminou, ele deu a Hindbad seu presente habitual, e ele voltou para jantar no dia seguinte, quando Simbad fez o relato de sua sexta viagem.

A SEXTA VIAGEM DE SIMBAD

No final de um ano, preparei-me para uma sexta viagem, contra as súplicas de minha parentela. Comecei minha viagem, que se revelou muito longa, e, para piorar, o capitão perdeu o curso e não sabia para que lado virar. Por fim, ele descobriu onde estava e exclamou que todos morreríamos inevitavelmente, pois, dentro de um quarto de hora, o navio se espatifaria contra uma montanha. Era verdade: as velas logo se partiram e as cordas estouraram com a força com a qual o navio se chocou contra o sopé de uma montanha inacessível, mas salvamos nossas vidas e a maior parte de nossa comida e de nossos bens.

Olhamos ao nosso redor e vimos a costa toda coberta com pedaços de destroços de navios e grandes montes de ossos de homens, com quantidades incríveis de riquezas, o que mostrou quantas pessoas infelizes deviam ter morrido ali. Subir a montanha, que quase chegava aos céus, era impossível.

Naquele lugar miserável, continuamos até que meus camaradas morreram um após o outro. Eu sobrevivi a todos eles e, quando meu estoque de comida se esgotou, de repente, tomei a resolução desesperada de confiar em mim e seguir a corrente de um grande rio negro que entrava em uma caverna na montanha.

Improvisei uma boia e a carreguei com aquelas riquezas. Prendendo minha carga com cordas, subi a bordo com dois pequenos remos que havia feito e a deixei à mercê da corrente.

Assim que entrei na caverna, fiquei na escuridão. Eu flutuei por alguns dias e, por sorte, consegui dormir. Quando acordei, encontrei-me em um vasto país, à beira de um rio, onde minha boia estava amarrada, em meio a um grande número de homens. Exclamei em voz alta:

– Alá, seja louvado!

E um dos homens, que entendia bem a língua árabe, veio em minha direção e disse:

– Irmão, viemos aqui hoje para cavar canais deste rio, que sai daquela montanha, para regar nossos campos, quando o encontramos flutuando dessa maneira.

Implorei a eles que me dessem comida e, depois de aplacar minha fome, fiz um relato de tudo o que havia acontecido comigo. Eles pediram que eu fosse com eles ao seu rei e me colocaram em um belo cavalo, trazendo minha carga e boia atrás de mim.

Marchamos assim até chegarmos a Serindib, pois foi naquela ilha que desembarquei.

Prostrei-me diante do monarca, a quem contei minha história. Ele ficou tão surpreso e satisfeito que ordenou que fosse escrita em letras de ouro e também que um de seus oficiais cuidasse de mim.

Ao visitá-lo novamente, pedi-lhe que me permitisse retornar ao meu próprio país, pedido que ele atendeu, e enviou por mim uma carta e um presente brilhante para o soberano, o califa Haroun Alraschid. Voltei para Bagdá, onde minha primeira preocupação foi me apresentar ao califa, que recebeu a carta e o presente do rei de Serindib com a maior satisfação.

Simbad parou de falar, e todos eles voltaram no dia seguinte para ouvir o relato da última viagem.

A SÉTIMA E ÚLTIMA VIAGEM DE SINDBAD

Ao retornar de minha sexta viagem, deixei de lado absolutamente todos os pensamentos de viajar mais longe. Entretanto, um dia, enquanto eu estava dando uma festa com meus amigos, fui chamado pelo califa.

– Simbad – disse o monarca –, eu preciso de seus serviços. Você deve levar uma resposta ao rei de Serindib.

Tentei recusar, mas foi em vão. Ao fim, o rei me deu mil moedas pelas despesas de minha viagem.

Embarquei e fiz uma viagem agradável. Quando cheguei a Serindib, entreguei a carta e o presente do califa, que ele recebeu com satisfação.

Um pouco depois, solicitei licença para partir. Não tínhamos estado muito tempo no mar quando fomos atacados por corsários, que tomaram nosso navio e nos levaram como escravos.

Fomos todos vendidos como escravos. Eu mesmo fui comprado por um rico comerciante. Ele perguntou se eu sabia usar o arco e a flecha e assegurei a ele que sim. Ele então me deu um arco e flechas e, sentado atrás dele sobre um elefante, fomos para uma floresta. Paramos perto de uma árvore extremamente alta. Meu mestre mandou-me subir naquela árvore, dizendo que eu deveria esperar lá até que uma tropa de elefantes passasse e então atirar neles. Se alguém caísse, eu deveria voltar correndo para a cidade para avisá-lo. Tendo me dado instruções adequadas, ele me deixou um saco de comida e voltou para a cidade.

Assim que o sol nasceu na manhã seguinte, vi um grande número de animais. Atirei várias flechas neles e, por fim, um dos elefantes caiu. O restante retirou-se imediatamente e me deixou livre para ir informar meu patrono sobre meu sucesso. Ele elogiou minha diligência, e voltamos para a floresta e cavamos um buraco para enterrar o elefante, até que ele apodrecesse, quando então o comerciante pretendia arrancar seus dentes, pois ele vendia marfim.

Continuei este curso por dois meses. Certa manhã, um dos maiores elefantes enrolou sua tromba no tronco da árvore em que eu estava e arrancou-a pela raiz.

Eu caí com a árvore, e o mesmo elefante, pegando-me com sua tromba, me colocou em suas costas, me carregou até uma colina e lá me deixou. Aventurei-me a subir e descobri a colina coberta por ossos e dentes de elefantes. Voltei para o meu mestre e o conduzi até a colina.

Meu mestre então me deu a liberdade para retornar ao meu próprio reino. Ele carregou um navio com uma carga valiosa para mim e abundância de provisões.

Nós zarpamos e, finalmente, vim a salvo para Bagdá e me apresentei ao califa.

Simbad então deu a Hindbad cem moedas, desejou que ele largasse o emprego de carregador e viesse todos os dias jantar com ele, para que ele tivesse motivos para se lembrar de Simbad, o Marujo.

O pequeno corcunda

(de *As mil e uma noites*. Richard Francis Burton, 1885)

No reino de Kashgar, que é situado nas fronteiras da Grande Tartária, viviam um alfaiate e sua esposa, que se amavam muito. Um dia, quando o alfaiate estava trabalhando, um pequeno corcunda sentou-se na entrada da loja e começou a cantar e tocar seu pandeiro. O alfaiate divertia-se com as travessuras do sujeito e pensou em levá-lo para casa para mostrá-lo à esposa. O corcunda aceitou a proposta, então o alfaiate fechou a loja e partiram juntos.

Ao chegarem em casa, encontraram a mesa pronta para o jantar e, em poucos minutos, os três estavam sentados diante de um delicioso peixe que a esposa do alfaiate cozinhara. Mas, infelizmente, o corcunda engoliu uma grande espinha e, apesar de tudo que o alfaiate e sua mulher tentaram, morreu sufocado em um instante. Além de sentir muita pena do pobre homem, o alfaiate e sua mulher ficaram muito assustados, pois, se a polícia soubesse disso, o nobre casal corria o risco de ser preso por homicídio.

A fim de evitar essa terrível calamidade, os dois começaram a inventar algum plano que levantaria suspeitas sobre outra pessoa e, por fim, decidiram que o melhor que poderiam fazer é acusar, como autor do crime, um médico que vivia perto. O alfaiate pegou o corcunda pela cabeça enquanto sua esposa o arrastava para a casa do médico. Em seguida, bateram à porta, que dava para uma escada íngreme. Uma criada logo apareceu, tateando a escada escura, e perguntou o que eles queriam.

– Diga a seu amo – disse o alfaiate – que trouxemos um homem muito doente para curar e – acrescentou, estendendo-lhe algum dinheiro – dê-lhe isso com antecedência para que ele não sinta que está perdendo tempo.

A serva subiu novamente as escadas para dar a mensagem ao médico e, assim que ela sumiu de vista, o alfaiate e sua esposa carregaram o corpo rapidamente atrás dela, apoiaram-no no topo da escada e correram para casa tão rápido quanto suas pernas conseguiam correr.

O médico ficou tão contente com a notícia de um paciente (pois ele era jovem e não tinha muitos), que se emocionou.

– Pegue uma luz – disse chamando a serva – e siga-me o mais rápido que puder!

Correndo para fora de seu quarto, ele foi em direção à escada. Ele quase caiu por cima do corpo do corcunda e, sem saber o que era, deu-lhe um pontapé tão forte que o corpo saiu rolando.

– Uma luz! Uma luz! – gritou de novo e, quando a luz foi trazida e ele viu o que tinha feito, ficou quase fora de si de terror.

– Santo Moisés! – exclamou ele. – Por que não esperei pela luz? Eu matei o doente que eles me trouxeram. Não demorará muito para que eu seja levado para a prisão como assassino.

Por mais agitado que estivesse, e com razão, o médico não se esqueceu de fechar a porta da casa para que alguns transeuntes não pudessem ver o que havia acontecido. Ele então pegou o cadáver e carregou-o para o quarto de sua esposa, quase a deixando louca de medo.

– Estamos em apuros – lamentou ela – se não conseguirmos encontrar um meio de tirar o corpo de casa. Assim que o sol nascer, não poderemos mais escondê-lo! Como você foi levado a cometer um crime tão terrível?

– Não se preocupe – respondeu o médico –, o que importa é encontrar uma saída.

Por um longo tempo, o médico e sua esposa continuaram a pensar em uma forma de escapar, mas não conseguiram encontrar nenhuma que parecesse suficientemente boa. Por fim, o médico desistiu por completo e resignou-se a suportar a pena de sua desgraça.

Contudo, sua esposa, que era mais inteligente que ele, gritou de repente:

– Eu pensei em algo! Vamos carregar o corpo até o telhado da casa e baixá-lo pela chaminé de nosso vizinho. Esse homem era empregado do sultão e abastecia sua mesa com óleo e manteiga. Parte de sua casa era ocupada por um grande depósito, que ratos e camundongos gostavam de visitar.

O médico concordou com o plano de sua esposa, e eles pegaram o corcunda e, passando cordas por baixo de suas axilas, o desceram para o quarto do fornecedor tão suavemente que ele realmente parecia estar encostado na parede. Quando sentiram que ele estava tocando o chão, puxaram as cordas e o deixaram lá.

Mal tinham voltado para sua casa quando o fornecedor entrou em seu quarto. Ele havia passado a noite em uma festa de casamento e tinha uma lanterna na mão. Na penumbra, ficou surpreso ao ver um homem parado em sua chaminé, mas, sendo naturalmente corajoso, agarrou uma vara e foi direto para o suposto ladrão.

– Ah! – gritou. – Então é você, e não os ratos e camundongos, que rouba minha manteiga. Vou dar-lhe uma lição para que você não queira voltar aqui!

Dizendo isso, ele desferiu vários golpes fortes. O cadáver caiu no chão, mas o homem apenas redobrou os golpes, até que por fim lhe ocorreu que era estranho que o ladrão ficasse tão quieto e não fizesse resistência. Então, descobrindo que ele estava morto, um arrepio frio de medo tomou conta dele.

– Desgraçado que sou – disse ele – matei um homem. Ah, minha vingança foi longe demais. Sem a ajuda de Alá, estou perdido! Malditos sejam os bens que me conduziram à ruína.

Mas quando superou o primeiro choque, começou a pensar em uma maneira de sair da dificuldade e, agarrando o corcunda nos braços, carregou-o para a rua e encostou-o na parede de uma loja. Deixando-o lá, correu para sua própria casa, sem olhar para trás nem uma vez.

Poucos minutos antes do nascer do sol, um rico comerciante cristão, que abastecia o palácio com todos os gêneros de primeira necessidade, saiu de casa, após uma noite de banquete, para ir ao banho. Embora estivesse muito bêbado, ainda estava sóbrio o suficiente para saber que o amanhecer estava próximo e que todos os bons muçulmanos logo iriam rezar. Por isso, apressou os passos para não encontrar alguém a caminho da mesquita, que, vendo sua condição, mandaria ele para a prisão por estar bêbado. Na pressa, esbarrou no corcunda, que caiu pesadamente sobre ele, e o comerciante, pensando que estava sendo atacado por um ladrão, derrubou-o com um golpe. Ele então gritou em voz alta por ajuda, espancando o homem caído o tempo todo.

O chefe da polícia do bairro veio correndo e encontrou um cristão maltratando um muçulmano.

– O que você está fazendo? – ele perguntou indignado.

– Ele tentou me roubar – respondeu o comerciante – e quase me sufocou.

– Bem, você se vingou – disse o homem, agarrando-o pelo braço.

Enquanto falava, o policial estendeu a mão ao corcunda para ajudá-lo a se levantar, mas o corcunda não se mexeu.

— Oh! — continuou ele, olhando mais de perto. — Então é assim que um homem de fé trata o outro?

E, agarrando o comerciante com firmeza, levou-o ao inspetor de polícia, que o jogou na prisão até que o juiz estivesse fora da cama e pronto para cuidar de seu caso. Tudo isso trouxe o comerciante à razão, porém, quanto mais pensava nisso, menos conseguia entender como o corcunda poderia ter morrido apenas com os golpes que recebera.

O comerciante ainda refletia sobre o assunto quando foi intimado perante o delegado e questionado sobre seu crime, o que não pôde ser negado. Como o corcunda era um dos bufões particulares do sultão, o chefe de polícia resolveu adiar a sentença de morte até que ele consultasse seu mestre. Ele foi ao palácio para exigir uma audiência e contou sua história ao sultão, que apenas respondeu:

— Não há perdão para um homem que mata o outro. Cumpra seu dever.

Assim, o chefe de polícia ordenou que fosse erguida uma forca e enviou pregoeiros para proclamar em todas as ruas da cidade que um cristão seria enforcado naquele dia por ter matado um muçulmano.

Quando tudo estava pronto, o comerciante foi trazido da prisão e conduzido ao pé da forca. O carrasco amarrou a corda com firmeza em volta do pescoço do infeliz e estava prestes a balançá-lo no ar quando o fornecedor do sultão disparou no meio da multidão e gritou, ofegante, para o carrasco:

— Pare, pare, não tenha tanta pressa. Não foi ele que matou, fui eu.

O delegado, que esteve presente para ver se tudo estava em ordem, fez várias perguntas ao fornecedor, que lhe contou toda a história da morte do corcunda e como ele havia carregado o corpo até o local onde fora encontrado.

— Você vai — disse ele ao chefe da polícia — matar um homem inocente, pois é impossível que ele tivesse assassinado uma criatura que já estava morta. Já é ruim o suficiente eu ter matado um homem, imagine saber que uma pessoa inocente deveria sofrer por minha culpa.

Esta vez, o discurso do fornecedor havia sido feito em voz alta e foi ouvido por toda a multidão e, mesmo que ele quisesse, o chefe de polícia não poderia libertar o comerciante.

— Afrouxe as cordas do pescoço do homem — ordenou ele, voltando-se para o carrasco — e pendure este homem em seu lugar, visto que, por sua própria confissão, ele é o assassino.

O carrasco obedeceu e estava amarrando a corda com firmeza quando foi interrompido pela voz do médico, implorando-lhe que fizesse uma pausa, pois tinha algo muito importante a dizer. Ele abriu caminho através da multidão e alcançou o chefe de polícia.

— Adorável senhor — começou ele —, este homem a quem você deseja enforcar não é digno de morte. Só eu sou culpado. Na noite passada, um homem e uma mulher que eram estranhos para mim bateram à minha porta, trazendo consigo um paciente para eu curar. A criada abriu a porta, mas, sem luz, mal conseguiu distinguir seus rostos, embora prontamente tivesse concordado em me acordar e me repassar o pagamento por meus serviços. Enquanto ela me contava a história, parece que carregaram o doente até o topo da escada e o deixaram lá. Pulei com pressa sem esperar por uma lanterna e, na escuridão, bati contra algo, que caiu de cabeça escada abaixo e não parou até chegar ao chão. Quando examinei o corpo, descobri que estava morto, e o cadáver era de um homem corcunda. Apavorados com o que havíamos feito, minha esposa e eu levamos o corpo ao telhado e o jogamos na chaminé de nosso vizinho, o fornecedor, que você estava prestes a enforcar. O fornecedor, encontrando-o em seu quarto, pensou naturalmente que ele era um ladrão e deu-lhe um golpe tão forte que o homem caiu e ficou imóvel no chão. Abaixando-se para examiná-lo e encontrando-o morto como uma pedra, o fornecedor supôs que o homem tivesse morrido com o golpe que recebera; mas é claro que isso foi um erro, como você verá pelo meu relato. Eu sou o assassino e, embora eu seja inocente de qualquer desejo de cometer um crime, devo ser punido por isso mesmo assim ou então terei o sangue de dois homens na minha consciência. Portanto, mande este homem embora, eu lhe peço, e deixe-me ocupar o seu lugar, pois sou eu o culpado.

Ao ouvir a declaração do médico, o chefe de polícia ordenou que ele fosse levado para a forca e o fornecedor do sultão fosse solto. A corda foi colocada em volta do pescoço do homem, e seus pés já haviam parado de tocar o chão quando a voz do alfaiate foi ouvida implorando ao carrasco que fizesse uma pausa e ouvisse o que ele tinha a dizer.

– Oh, meu senhor – gritou ele, virando-se para o chefe de polícia –, você quase causou a morte de três pessoas inocentes! Mas, se você tiver paciência para ouvir minha história, saberá quem é o verdadeiro culpado. Se alguém tem que sofrer, devo ser eu! Ontem, ao entardecer, eu trabalhava na minha oficina com o coração leve, quando o pequeno corcunda veio sentar-se à minha porta. Ele cantou várias canções para mim, e então o convidei para terminar a noite em minha casa. Ele aceitou meu convite e partimos juntos. No jantar, ajudei-o a cortar uma fatia de peixe, mas, ao comê-la, uma espinha ficou presa na garganta e, apesar de tudo o que fizemos, ele morreu em poucos minutos. Sentimos profundamente por sua morte, mas, temendo ser responsabilizados, carregamos o cadáver para a casa do médico. Bati e pedi à criada que implorasse a seu senhor que descesse o mais rápido possível e visse um homem doente que havíamos trazido para curar; e, a fim de acelerar seus movimentos, coloquei dinheiro na mão dela como pagamento do médico. Assim que ela desapareceu, arrastei o corpo até o topo da escada e depois me apressei com minha esposa de volta para nossa casa. Ao descer as escadas, o médico acidentalmente derrubou o cadáver e, encontrando-o morto, acreditou que ele mesmo era o assassino. Mas agora que você sabe a verdade, liberte-o e me deixe morrer em seu lugar.

O chefe de polícia e a multidão de espectadores se maravilharam com os estranhos acontecimentos que deram origem à morte do corcunda.

— Solte o médico — disse ele ao carrasco — e amarre o alfaiate no lugar, já que ele confessou seu crime. Realmente, não se pode negar que esta é uma história muito singular e que merece ser escrita com letras de ouro.

O carrasco desamarrou rapidamente os nós que prendiam o médico e estava passando a corda no pescoço do alfaiate quando o sultão de Kashgar, que perdera seu bobo da corte, indagou seus oficiais sobre o que havia acontecido com ele.

— Senhor — responderam eles —, o corcunda, tendo bebido mais do que lhe convinha, escapou do palácio e foi visto vagando pela cidade, onde esta manhã foi encontrado morto. Um homem foi preso por ter causado sua morte e mantido sob custódia até a construção de uma forca. No momento em que ele estava para ser punido, primeiro chegou um homem, depois outro, cada um se responsabilizando pelo assassinato, e isso se prolongou por um longo tempo, e no momento o chefe de polícia está empenhado em interrogar um homem que declara que ele é o verdadeiro assassino.

Assim que ouviu essas palavras, o sultão de Kashgar ordenou a um porteiro que fosse ao chefe de polícia e trouxesse todas as pessoas envolvidas na morte do corcunda, juntamente com o cadáver, que ele desejava ver novamente. O porteiro apressou-se em cumprir sua missão, mas chegou bem a tempo, pois o alfaiate já estava balançando no ar quando sua voz caiu sobre o silêncio da multidão, ordenando ao carrasco que cortasse a corda. O carrasco, reconhecendo o porteiro como um dos servos do rei, cortou a corda, e o porteiro, vendo que o homem estava seguro, procurou o chefe de polícia e lhe deu a mensagem do sultão. Assim, o chefe de polícia partiu imediatamente para o palácio, levando consigo o alfaiate, o médico, o fornecedor e o comerciante, que carregava o corcunda morto nos ombros.

Quando a procissão chegou ao palácio, o chefe de polícia prostrou-se aos pés do sultão e contou tudo o que sabia sobre o assunto. O sultão ficou tão impressionado com as circunstâncias que ordenou a seu historiador particular que escrevesse um relato exato do que havia acontecido, de modo que, nos anos seguintes, a escapatória milagrosa dos quatro homens que se julgavam assassinos jamais pudesse ser esquecida.

Ameen e o Ghoul

(Charles John Tibbitts, 1889)

Ghouls são conhecidas por serem criaturas horrendas que, ao tirarem a vida de alguém, alimentam-se de seus restos mortais. Nessa história, um corajoso homem decide desafiar essas criaturas. E foi assim que aconteceu.

Existe um lugar terrível na Pérsia chamado de Vale do Anjo da Morte. O anjo, esse terrível ministro da ira de Deus, tem, de acordo com a tradição, lugares de descanso na terra e até suas moradas favoritas. Ele está rodeado de ghouls, seres horríveis que, ao tirar a vida de alguém, alimentam-se com as carcaças.

A forma natural desses monstros é medonha, mas eles podem assumir também a forma de animais, como vacas ou camelos, ou de qualquer coisa que quiserem, muitas vezes aparecendo para os homens como seus parentes ou amigos. Então, eles não apenas mudam de forma, mas suas vozes também são alteradas. Os gritos e berros assustadores que essas temíveis ravinas geralmente produzem são substituídos por notas suaves e vozes melodiosas. Viajantes incautos, iludidos pela aparência de amigos ou cativados pelas formas e encantados pela música desses demônios, são desviados para longe de seu caminho e, após festejar por algumas horas em todos os luxos, são condenados à destruição.

O número desses ghouls diminuiu muito desde o nascimento do Profeta, e eles não têm poder para ferir aqueles que pronunciam seu nome com sinceridade e fé. Essas criaturas são as mais baixas do mundo sobrenatural e, além de tímidas, são extremamente estúpidas e consequentemente muitas vezes são desafiadas por homens astutos.

Os nativos de Isfahan, embora não muito corajosos, são as pessoas mais astutas e perspicazes da terra. Um habitante dessa cidade já foi compelido a viajar sozinho à noite por este vale terrível. Ele era um homem de bom humor e gostava de aventuras e, embora não fosse um leão, tinha grande confiança em sua astúcia, que já o havia feito superar centenas de dificuldades e perigos que teriam constrangido ou destruído qualquer homem de valor.

Este homem, cujo nome era Ameen Beg, tinha ouvido muitas histórias sobre os ghouls do Vale do Anjo da Morte e pensou que provavelmente encontraria um se fosse até lá. Ele se preparou de acordo, colocando um ovo e um pedaço de sal no bolso. O homem não tinha ido muito longe entre as rochas, quando ouviu uma voz gritando:

— Holloa, Ameen Beg Isfahânee! Você está indo pelo caminho errado e assim você se perderá. Venha por aqui. Eu sou seu amigo Kerreem Beg; conheço seu pai, o velho Kerbela Beg, e a rua em que você nasceu.

Ameen conhecia bem o poder que os ghouls tinham de assumir a forma de qualquer pessoa que escolhessem, assim como sua habilidade como genealogistas e seu conhecimento de cidades de nascimento. Ele tinha, portanto, poucas dúvidas de que o que via na sua frente era uma daquelas criaturas o atraindo para a destruição. Ele, no entanto, decidiu encontrá-lo e confiar em sua arte para escapar.

– Fique parado, meu amigo, até eu chegar perto de você – respondeu ele.

Ao chegar perto do ghoul, Ameen disse:

– Você não é meu amigo Kerreem; você é um demônio mentiroso, mas era bem você que eu desejava encontrar. Tentei minha força contra todos os homens e todas as feras que existem no mundo natural, e não consigo encontrar nada que se compare a mim. Vim, portanto, a este vale na esperança de encontrar um ghoul para poder provar minha destreza sobre ele.

O ghoul, surpreso por ser tratado dessa maneira, olhou intensamente para ele e disse:

– Filho de Adão, você não parece tão forte.

– As aparências enganam – respondeu Ameen –, mas darei a vocês uma prova de minha força. Veja – disse ele, pegando uma pedra de um riacho –, esta pedra contém um fluido; tente apertá-la de forma que o líquido saia.

O ghoul pegou a pedra, mas, após uma breve tentativa, devolveu-a, dizendo:

– Isso é impossível de se fazer.

— Muito fácil — disse o Isfahânee, pegando a pedra e colocando-a na mão em que segurava o ovo. — Olhe!

E o ghoul, atônito, enquanto ouvia o que julgava ser a pedra se quebrando, viu o líquido escorrer por entre os dedos de Ameen, e isso aparentemente sem nenhum esforço.

Ameen, ajudado pela escuridão, colocou a pedra no chão enquanto ele pegava outra de um tom mais escuro.

— Veja — disse ele —, posso ver que esta pedra contém sal, como você descobrirá se conseguir amassá-la entre os dedos.

O ghoul, olhando para ele, confessou que não tinha conhecimento para descobrir suas qualidades nem força para quebrá-la.

— Dê-me — disse seu companheiro, impaciente, e, tendo-a colocado na mesma mão que estava o sal, entregou-a ao ghoul, que, vendo-a aparentemente reduzida a pó, ficou em total espanto com a habilidade e a força daquele maravilhoso homem.

A criatura estava com medo que Ameen usasse aquela força contra ele, mas não via vantagem em recorrer a outra forma — como a de uma besta, por exemplo —, pois Ameen o avisara que, se ele começasse qualquer negociação injusta, ele o mataria instantaneamente, já que os ghouls, embora tenham vida longa, não são imortais.

Nessas circunstâncias, ele julgou que seu melhor plano era tentar conseguir a amizade de seu novo companheiro até que encontrasse uma oportunidade de destruí-lo.

— Incrível homem — disse ele —, você honrará minha morada com sua presença? Não é muito longe daqui, e lá você encontrará todos os refrescos e, depois de uma confortável noite de descanso, você pode retomar sua jornada.

– Não tenho nenhuma objeção, amigo ghoul, a aceitar sua oferta, mas preste atenção: eu sou, em primeiro lugar, um homem muito emotivo e não devo ser provocado por quaisquer expressões que sejam minimamente desrespeitosas. Além disso, sou um homem perspicaz e posso decifrar seus planos tão claramente quanto vi o sal por dentro daquela pedra dura. Portanto, tome cuidado para não ter atitudes más ou você sofrerá por isso.

O ghoul declarou que os ouvidos de seu hóspede não seriam incomodados por nenhuma expressão que não fosse digna dele e jurou pela cabeça de seu senhor feudal, o anjo da morte, que respeitaria fielmente os direitos de hospitalidade e amizade.

Assim satisfeito, Ameen seguiu o ghoul por uma série de caminhos tortuosos, penhascos acidentados e ravinas profundas, até que chegaram a uma grande caverna, que era mal iluminada.

– Aqui – disse o ghoul – eu moro e aqui meu amigo encontrará tudo o que pode desejar para se refrescar e descansar.

Dizendo isso, ele o levou a vários aposentos, nos quais estavam acumuladas todas as espécies de grãos e todos os tipos de mercadorias, saqueados de viajantes que haviam sido iludidos até aquele covil, cujo destino Ameen estava muito bem informado devido aos ossos sobre os quais ele tropeçava de vez em quando e pelo cheiro pútrido produzido por algumas carcaças meio consumidas.

— Isso será suficiente para o seu jantar, espero — disse o ghoul, pegando um grande saco de arroz. — Um homem com sua destreza deve ter um apetite considerável.

— É verdade — disse Ameen —, mas comi uma ovelha e arroz antes de começar a viagem. Consequentemente, não estou com fome, mas vou comer um pouco para não ofender sua hospitalidade.

— Eu vou cozinhá-lo para você — disse o demônio. — Você não come grãos e carne crua, como nós. Aqui está uma chaleira — disse ele, pegando uma que estava por perto. — Vou buscar lenha para o fogo, enquanto você vai buscar água com ela.

Ameen esperou até ver seu anfitrião deixar a caverna e entrar na floresta e, então, com grande dificuldade, arrastou a enorme chaleira para a margem de um córrego escuro, que saía das rochas na outra extremidade da caverna e desaparecia no subsolo.

— Como poderei — pensou Ameen — evitar que minha fraqueza seja descoberta? Essa chaleira eu dificilmente conseguiria carregar quando estava vazia; quando cheia, seriam necessários vinte homens fortes para carregá-la. O que devo fazer? Eu certamente serei devorado por este ghoul canibal, que agora só está controlado porque acredita na minha grande força.

Após alguns minutos de reflexão, o Isfahânee pensou em um esquema e começou a cavar um pequeno canal do riacho em direção ao local onde sua ceia estava sendo preparada.

– O que você está fazendo? – vociferou o ghoul, enquanto avançava em sua direção. – Mandei você buscar água para ferver um pouco de arroz, e você demorou uma hora nisso. Não dava para encher a chaleira e voltar?

– Certamente daria – disse Ameen. – Se eu estivesse contente, depois de toda sua gentileza, em mostrar minha gratidão meramente por feitos de força bruta, eu poderia levantar seu riacho se você tivesse uma chaleira grande o suficiente para colocar toda a água. Mas aqui – disse ele, apontando para o canal que havia começado –, aqui está o início de uma obra na qual a mente de um homem é empregada para diminuir o trabalho de seu corpo. Este canal, por menor que pareça, levará um riacho para a outra extremidade da caverna, onde construirei uma represa que você poderá abrir e fechar quando quiser, evitando, assim, infinitos problemas para buscar água. Mas deixe-me em paz até que termine – disse começando a cavar.

– Absurdo! – disse o ghoul, agarrando a chaleira e enchendo-a. – Eu mesmo carregarei a água, e aconselho-o a deixar o seu canal, como você o chama, e me seguir para que você possa jantar e dormir. Você pode terminar este bom trabalho, se quiser, amanhã de manhã.

Ameen se parabenizou pela fuga e não demorou a seguir o conselho do anfitrião. Depois de comer com gosto a ceia preparada, ele foi repousar em uma cama feita com as mais ricas mantas e travesseiros, que foram retirados de um dos depósitos de mercadorias saqueadas. O ghoul, cuja cama também ficava na caverna, mal se deitou e caiu em um sono profundo. A ansiedade da mente de Ameen o impediu de seguir seu exemplo. Ele se levantou com cuidado e, tendo enfiado um longo travesseiro no meio da cama para dar a impressão de que ainda estava lá, retirou-se para um lugar escondido na caverna para observar como o ghoul agiria.

Este acordou pouco antes do raiar do dia e, levantando-se, dirigiu-se, sem fazer barulho, até a cama de Ameen, onde, vendo-o sem se mexer, ficou satisfeito por seu hóspede estar em sono profundo. Ele então pegou uma de suas bengalas, que tinha o tamanho do tronco de uma árvore, e deu um golpe terrível no que supôs ser a cabeça de Ameen. Ele sorriu ao não ouvir um gemido, pensando que o havia matado, mas, para ter certeza de seu trabalho, ele repetiu o golpe sete vezes. O ghoul então voltou a descansar, mas mal havia se acomodado para dormir quando Ameen, que se arrastara de volta para a cama, ergueu a cabeça acima dos lençóis e exclamou:

— Amigo ghoul, que inseto poderia ter me incomodado com suas batidas? Contei sete vezes o bater de suas asinhas na colcha. Esses vermes são muito irritantes, pois, embora não possam machucar um homem, eles perturbam seu descanso!

A consternação do ghoul ao ouvir Ameen falar foi grande, mas aumentou para pavor quando o ouviu descrever sete golpes, qualquer um dos quais teria derrubado um elefante, como sete batidas da asa de um inseto. Não havia segurança, ele pensou, perto de um homem tão maravilhoso, e ele logo depois se levantou e fugiu da caverna, deixando o Isfahânee como seu único mestre.

Quando Ameen descobriu que seu anfitrião havia partido, ele imediatamente começou a examinar os tesouros que o cercavam e a pensar em meios para transportá-los para sua casa.

Depois de examinar o conteúdo da caverna e se armar com objetos que pertenceram a alguma vítima do ghoul, ele partiu. Mal havia caminhado e Ameen encontrou o ghoul voltando com um grande taco de madeira na mão, e acompanhado por uma raposa. O conhecimento de Ameen sobre o animal astuto imediatamente o levou a suspeitar que o que fizera havia sido descoberto, mas sua presença de espírito não o abandonou.

– Tome isso. – Disse ele para a raposa, golpeando-a na cabeça. – Tome isso por você não cumprir minhas ordens. Aquele bruto prometeu me trazer sete ghouls para que eu pudesse acorrentá-los e levá-los para Isfahan, e trouxe apenas você, que já é minha escrava.

Assim dizendo, ele avançou em direção ao ghoul, mas este já havia fugido e sumido de vista.

Tendo Ameen memorizado o caminho da caverna até a estrada, foi até a cidade mais próxima e alugou camelos e mulas para transportar as riquezas que havia adquirido. Depois de fazer a restituição a todos os que permaneceram vivos para que aproveitassem seus bens, ele se tornou um homem rico, tudo devido à inteligência e arte que sempre superam a força bruta.

As duas gatas

(Charles John Tibbitts, 1889)

Nesta história, saberemos como uma pobre gata chegou à conclusão que o conteúdo, ainda que humilde, é preferível à soberba frugal.

Antigamente, havia uma velha que vivia em uma cabana mais confinada do que as mentes dos ignorantes e mais escura do que os túmulos dos avarentos. Sua companheira era uma gata, mas mal a alimentava. De vez em quando, o bichano encontrava algum rato e sentia-se como se tivesse encontrado um tesouro. Suas bochechas brilhavam de êxtase e a dor do passado era consumida pela alegria presente.

O banquete duraria uma semana ou mais e, enquanto devorava o rato, a gata pensava: "Será que estou sonhando? Será que finalmente experimentarei tanta prosperidade depois de tantas adversidades?".

Mas, como a morada da velha era em geral a mansão da fome para este gato, a gata estava sempre reclamando e imaginando esquemas para uma nova vida. Um dia, quando reduzida à extrema fraqueza, ela, com muito esforço, chegou ao topo da cabana. De lá, ela observou uma outra gata espreitando na parede da casa de um vizinho, que, como um tigre feroz, avançava com passos cautelosos e estava tão carregada de carne que ela mal conseguia levantar os pés. A amiga da velha ficou surpresa ao ver alguém de sua própria espécie tão gorda e esguia e disse:

— Seus passos majestosos trouxeram você aqui finalmente. Por favor, me diga de onde você vem? De onde você veio com uma aparência tão linda? Onde você adquiriu tal formosura?

A outra gata respondeu:

— Eu sou a comedora de migalhas do sultão. Todas as manhãs, quando abrem a mesa de convívio, vou ao palácio e aí exibo a minha morada e coragem. Entre as carnes ricas e bolos de trigo, eu escolho alguns pedaços refugados. Eu então me deito e passo meu tempo até o dia seguinte, descansando deliciosamente.

A gata da velha pediu para saber o que era carne rica e que gosto tinham os bolos de trigo. Acrescentou, em tom melancólico:

— Quanto a mim, durante a minha vida, não comi nem vi nada além do mingau da velha e da carne de rato.

A outra, sorrindo, disse:

— Isso explica a razão de eu estar com dificuldades em distinguir você de uma aranha. Sua forma e estatura dão vergonha aos gatos, especialmente por uma aparência tão miserável. Você certamente tem as orelhas e a cauda de um gato, mas em outros aspectos você é uma aranha completa.

Se você visse o palácio do sultão e cheirasse suas deliciosas iguarias, sem dúvida esses ossos murchos seriam restaurados. Você receberia uma nova vida, sairia de trás da cortina de invisibilidade para o plano de observação.

A gata da velha se dirigiu à outra da maneira mais suplicante:

— Ó minha irmã! — exclamou. — Não estamos ligadas pelos laços de parentesco? O que a impede de dar uma prova de amizade, levando-me com você na próxima visita ao palácio? Talvez de seu favor muito possa fluir para mim e de seu patrocínio eu possa alcançar dignidade e honra.

O coração da comedora de migalhas do sultão ficou comovido com aquele pedido e ela prometeu à sua nova amiga que iria acompanhá-la na próxima visita ao palácio. Esta última, muito feliz, desceu imediatamente do terraço e comunicou todos os detalhes à velha, que lhe dirigiu o seguinte conselho:

— Não se engane, minha querida amiga, com a linguagem mundana que você ouviu. Não abandone o seu lugar de contentamento, pois o cálice dos avarentos só será preenchido com o pó da sepultura, e o olho da estupidez e da esperança só poderá ser fechado pela agulha da mortalidade e pelo fio do destino. É o conteúdo que torna os homens ricos. Observe os avarentos, que percorrem o mundo: eles não conhecem nem prestam adoração a seu Deus, que está insatisfeito com sua condição e fortuna.

Mas o banquete esperado havia se apossado tanto da imaginação da pobre gatinha que o conselho da velha foi ignorado.

O bom conselho de alguém é como vento em uma gaiola, ou água em uma peneira, quando dado ao obstinado.

Para concluir, no dia seguinte, acompanhada por sua amiga, a gata meio faminta foi mancando até o palácio do sultão. Antes que este infeliz miserável viesse, como está decretado que os avarentos ficarão desapontados, um acontecimento extraordinário havia ocorrido e, devido ao seu destino maligno, a água da decepção foi derramada sobre a chama de sua ambição imatura.

O caso era o seguinte: no dia anterior, toda uma legião de gatos cercara a festa e fez tanto barulho que incomodou os convidados. Em consequência, o sultão ordenou que alguns arqueiros armados com arcos da Tartária deveriam, neste dia, ficar escondidos e que qualquer gato que avançasse para o local com valentia, coberto com o escudo da audácia, deveria, ao comer o primeiro pedaço, ser atingido por suas flechas. A gatinha da velha não sabia desta ordem. No momento em que sentiu o cheiro da comida, ela voou como uma águia para o lugar de sua presa.

Mal sentira o gosto da carne, uma flecha perfurou seu peito.

O sangue começou a jorrar da ferida. Ela fugiu, com medo da morte, depois de ter exclamado:

– Se eu escapar deste arqueiro terrível, ficarei satisfeita com meu rato e a cabana miserável de minha velha senhora. Minha alma rejeita o mel se acompanhado da picada. O conteúdo, ainda que humilde, é preferível.

As três maçãs

(de *As mil e uma noites*. Antoine Galland, 1704)

Nesta história contada por Sherazade nas Mil e uma noites, o califa Haroon al Rusheed fica sabendo de um assassinato e ordena que seu vizir, Jaffier, resolva o caso em três dias. Para a surpresa de todos, o caso é ainda mais trágico do que parecia ser.

O califa Haroon al Rusheed um dia ordenou que o grão-vizir Jaffier fosse ao seu palácio na noite seguinte.

– Vizir – disse ele –, vou dar uma volta pela cidade para me informar sobre o que as pessoas dizem e se estão satisfeitas com meus oficiais de justiça. Se houver alguma reclamação justa, nós os expulsaremos e colocaremos outros em seu lugar. Se, pelo contrário, alguém for elogiado, daremos a ele o reconhecimento que ele merece.

No dia seguinte, o califa, ele e Mesrour, o chefe dos eunucos, disfarçaram-se para que não pudessem ser reconhecidos e saíram todos os três juntos.

Eles passaram por vários lugares e por vários mercados. Quando entraram em uma pequena ruela, eles perceberam, devido à luz da lua, um homem alto, de barba branca, que carregava redes em sua cabeça e um bastão na mão.

— A julgar pela aparência dele — disse o califa —, aquele senhor não é rico. Vamos conversar com ele e perguntar sobre as circunstâncias em que vive.

— Homem honesto — disse o vizir —, quem és tu?

O velho respondeu:

— Senhor, eu sou um pescador, mas um dos mais pobres e miseráveis do comércio. Saí de casa por volta do meio-dia para pescar e até agora não fui capaz de pegar um peixe. Tenho uma esposa e filhos pequenos e nenhum dinheiro para sustentá-los.

O califa, comovido de compaixão, disse ao pescador:

— O senhor arriscaria voltar e lançar a rede mais uma vez? Nós lhe daremos cem moedas pelo que você pescar.

O pescador, esquecendo-se de todo o trabalho do dia fracassado, aceitou a proposta do califa e voltou para o Tigre, acompanhado do califa Jaffier e Mesrour. Enquanto andava, pensava consigo mesmo: "Esses senhores parecem muito honestos e razoáveis para não recompensarem minhas dores; e, se eles me derem a centésima parte do que eles prometem, já será uma grande recompensa".

Eles chegaram à margem do rio, e o pescador jogou sua rede novamente. Desta vez, ao puxar, trouxe à superfície um baú bem fechado e muito pesado. O califa fez o grão-vizir pagar ao homem cem moedas imediatamente e o mandou embora.

Mesrour, por ordem de seu mestre, carregou o baú no ombro, e o califa estava tão ansioso para saber o que continha que eles voltaram ao palácio a toda a velocidade.

Ao abrirem o baú, encontraram nele uma grande cesta feita de folhas de palmeira, com a tampa costurada com linha vermelha. Para satisfazer o califa, que estava impaciente, cortaram a linha com uma faca e tiraram do baú um embrulho amarrado por uma corda. Desamarrando aquele estranho pacote, encontraram, para seu grande espanto, o cadáver de uma jovem, mais branco que a neve, todo cortado em pedaços.

O espanto do califa foi grande com aquela terrível visão. Sua surpresa foi instantaneamente transformada em ódio e, lançando um olhar zangado para o vizir, disse:

– Desgraçado, é assim que você fiscaliza as ações do meu povo? Deixá-los cometerem tais assassinatos ímpios sob o teu ministério em minha capital e jogar meus súditos no Tigre, para que chorem por vingança contra mim no dia do julgamento? Se você não vingar rapidamente o assassinato desta mulher, matando seu assassino, eu juro pelos céus que mandarei matar a ti e mais quarenta familiares seus.

– Comandante dos fiéis – respondeu o grão-vizir –, peço à vossa majestade que me conceda tempo para este trabalho.

– Você terá apenas três dias – disse o califa.

O vizir Jaffier voltou para casa em grande perplexidade.

– Ai de mim! Como será possível, em uma cidade tão vasta e populosa como Bagdá, detectar um assassino, que sem dúvida cometeu o crime sem nenhuma testemunha por perto e talvez já esteja longe daqui? Qualquer outro vizir além de mim escolheria algum miserável na prisão e faria com que ele fosse condenado à morte para satisfazer o califa, mas não vou sobrecarregar minha consciência com tal ação bárbara! Prefiro morrer a preservar minha vida pelo sacrifício de outra pessoa inocente.

Ele ordenou que os guardas começassem a procurar o criminoso. Nenhum teve um segundo de descanso, porque não estavam menos preocupados que o vizir. Mas todos os seus esforços foram em vão: por mais que tentassem, eles não conseguiam descobrir quem fora o assassino, de modo que o vizir concluiu que ele seria condenado à morte.

Ao chegar o terceiro dia, um oficial veio ao infeliz vizir solicitando que o seguisse, o que o vizir obedeceu.

O califa perguntou a ele pelo assassino. Ele respondeu:

– Comandante dos fiéis, não encontrei o responsável pelo crime.

O califa, cheio de fúria e raiva, disse várias palavras de reprovação e ordenou a morte do vizir.

Enquanto oficiais eram enviados para apreender as outras quarenta pessoas em suas casas, um pregoeiro foi chamado à cidade por ordem do califa, para clamar assim:

– Aqueles que desejam ver o grão-vizir Jaffier ser morto, junto com quarenta parentes seus, que venham para a praça na frente palácio.

Quando todas as coisas estavam prontas, os guardas do palácio trouxeram o grão-vizir com os quarenta parentes. A multidão de pessoas que enchiam a praça observava com tristeza, porque o grão-vizir era amado por causa de sua generosidade e imparcialidade, não apenas em Bagdá, mas em todos os domínios do califa.

A sentença estava prestes a ser aplicada e as vidas de todas aquelas pessoas iam ser sacrificadas quando um belo jovem, espremendo-se através da multidão, veio até o grão-vizir e, depois de beijar sua mão, disse:

– Excelente vizir, chefe dos emires desta corte e consolador dos pobres, você não é culpado do crime pelo qual está pagando aqui. Retire-se e deixe-me pagar pela morte da senhora que foi jogada no Tigre. Fui eu que a matei e eu mereço ser punido pelo meu crime.

Embora essas palavras tenham ocasionado grande alegria para o vizir, ainda assim ele não pôde deixar de sentir pena do jovem, em cujo olhar ele viu algo que, em vez de evidenciar culpa, era envolvente. Quando estava prestes a responder a ele, um homem alto e avançado em anos, que também tinha se espremido através da multidão, aproximou-se dele, dizendo:

– Não acredite no que este jovem lhe diz, eu matei aquela senhora que foi encontrada no baú, e esta punição só deve recair sobre mim. Eu imploro, em nome de Deus, que não puna os inocentes.

– Senhor – disse o jovem ao vizir –, afirmo que fui eu que cometeu esse crime e ninguém mais está envolvido nisso.

– Meu filho – disse o velho –, é o desespero que o trouxe aqui e você anteciparia seu destino. Eu vivi muito tempo no mundo e está na minha hora de partir. Deixe-me, portanto, sacrificar minha vida pela sua.

— Senhor — disse ele novamente ao vizir —, digo-lhe mais uma vez que sou eu o assassino; deixe-me morrer sem demora.

A polêmica entre o velho e o jovem induziu o grão-vizir a levá-los até o califa. Ao chegar em frente ao califa, beijou o chão sete vezes e falou assim:

— Comandante dos fiéis, eu tenho aqui diante de sua majestade este velho e este jovem, cada um dos quais se declara o único assassino da senhora.

O califa perguntou aos criminosos qual deles havia assassinado aquela senhora com tanta crueldade e a jogado no Tigre.

O jovem assegurou-lhe que era ele, mas o velho continuou insistindo.

— Vá — disse o califa ao grão-vizir — e faça com que os dois sejam mortos.

— Mas, senhor — disse o vizir —, se apenas um deles é o culpado, seria injusto tirar a vida de ambos.

Com essas palavras, o jovem falou novamente:

— Eu juro pelo grande Deus, que elevou os céus tão alto, que fui eu que matou a senhora, cortou-a em pedaços e, cerca de quatro dias atrás, jogou-a no Tigre. Eu renuncio minha parte de felicidade entre os justos no dia do julgamento se o que eu digo não for verdade; portanto, sou eu que devo ser penalizado.

O califa, sendo pego de surpresa com aquele juramento, acreditou nele. Então, voltando-se para o jovem, disse:

— Desgraçado — disse ele —, o que o fez cometer aquele crime detestável e o que o move a oferecer-se voluntariamente para morrer?

— Saiba, ó Comandante dos Fiéis — respondeu o jovem —, que esta donzela era minha esposa e filha deste velho, que é irmão de meu pai. Deus me abençoou com três filhos do sexo masculino com ela, e ela me amou e me serviu, e eu também a amei com um amor excessivo e não vi mal nela. Vivemos felizes juntos até o início deste mês, quando ela adoeceu gravemente. Chamei os médicos para ela e ela se recuperou lentamente; e eu gostaria que ela tomasse banho, mas ela disse:

— Há algo que desejo antes de ir para o banho.

— O que é isso? — perguntei eu, e ela respondeu:

— Tenho saudades de uma maçã, gostaria de cheirá-la e morder um pedaço dela.

Por isso, fui imediatamente à cidade e procurei maçãs, que compraria pelo preço que fosse, mas não consegui encontrar nenhuma. Fiquei irritado com isso e fui para casa e disse à minha esposa:

— Por Alá, não consegui encontrar nenhuma.

Ela estava angustiada, pois ainda estava fraca, e sua fraqueza aumentou muito naquela noite, e eu passei a noite cheio de ansiedade. Assim que amanheceu, saí de novo e dei uma volta pelos jardins, mas não encontrei maçãs em lugar nenhum. Por fim, encontrei um velho jardineiro, a quem perguntei por maçãs, e ele me disse:

— Ó meu filho, este fruto é raro entre nós e impossível de ser encontrado em outro lugar senão no jardim do Comandante dos Fiéis em Bassora, onde o jardineiro os guarda para a mesa do califa.

Voltei para casa, preocupado com meu fracasso, e meu amor e preocupação por ela me levaram a empreender a jornada para Bassora. Então, parti e viajei para lá e comprei três maçãs do jardineiro por três dinares, com as quais voltei a Bagdá, depois de ter estado ausente quinze dias e noites, indo e vindo. Fui até minha esposa e dei-lhe as maçãs, mas ela não teve prazer com elas e as deixou repousar ao seu lado, pois a fraqueza e a febre haviam aumentado, e não a deixei por dez dias, ao final dos quais ela começou a se curar. Então eu saí de casa e fui para minha loja, onde me sentei para trabalhar. Por volta do meio-dia, um grande escravo negro entrou no bazar, tendo em sua mão uma das três maçãs, então eu o chamei e disse:

– Bom escravo, diga-me de onde você tirou essa maçã.

Ele riu e respondeu:

– Estive ausente e, na minha volta, encontrei a minha senhora deitada doente, com três maçãs ao lado. Ela me disse que seu marido havia viajado para consegui-las e que pagara por elas três dinares. Então eu comi e bebi com ela e peguei esta maçã.

Quando ouvi isso, o mundo escureceu em meus olhos e me levantei, fechei minha loja e fui para casa, fora de mim por excesso de raiva. Procurei as maçãs, encontrando apenas duas delas e disse à minha esposa:

– Onde está a terceira maçã?

Ela disse:

– Eu não sei onde ela foi parar.

Isso me convenceu da veracidade da história do escravo, então peguei uma faca e, vindo por trás dela, sem dizer nenhuma palavra, subi em seu peito e cortei sua garganta; depois disso, cortei-a em pedaços e, enrolando-a no véu e em um pedaço de tapete, costurei tudo às pressas na cesta. Então coloquei a cesta no baú e fechei-a, coloquei na minha mula e joguei no Tigre com minhas próprias mãos. Portanto, Deus sobre ti, ó Comandante dos Fiéis, apressa-te a enforcar-me, pois temo que ela me peça por vingança no dia da ressurreição! Pois, quando a joguei no rio, sem que ninguém soubesse, voltei para casa e encontrei meu filho mais velho chorando, embora não soubesse o que eu tinha feito com sua mãe. Então lhe perguntei:

– Por que choras, meu filho?

Ele respondeu:

– Peguei uma das maçãs de minha mãe e desci com ela para a rua para brincar com meus irmãos, quando eis que um escravo alto e negro a tirou de minha mão, perguntando onde eu a havia conseguido e respondi que meu pai viajara para Bassora para buscá-la e a trouxera para minha mãe, que está doente, com duas outras maçãs pelas quais ele pagou três dinares. Pedi que a devolvesse para mim e não me colocasse em apuros por isso. Ele não prestou atenção às minhas palavras, e eu exigi a maçã uma segunda e uma terceira vez, mas ele me bateu e foi embora. Eu estava com medo de que minha mãe me batesse por causa da maçã; então, por medo dela, eu saí da cidade com meus irmãos e permaneci lá até que a noite caísse sobre nós. Então, por Alá, ó meu pai, não diga nada a ela sobre isso ou isso a deixará mais doente.

Quando ouvi o que a criança disse, soube que quem havia mentido era o escravo e percebi que havia matado minha esposa injustamente. Por isso, chorei muito e, pouco depois, este velho, o pai dela, entrou e contei-lhe o que tinha acontecido. Ele sentou-se ao meu lado e chorou e nós não paramos de chorar a noite toda. Isso foi há cinco dias e, desde então, nunca mais deixamos de lamentar, lamento profundamente por ela ter sido injustamente condenada à morte. Tudo isso veio da história mentirosa do escravo, e esta foi a forma como a matei; portanto, eu lhe peço, pela honra de seus antepassados, apresse-se em me matar e fazer a justiça, pois não há vida para mim depois dela.

O califa se admirou de sua história e disse:

– Por Alá, o jovem é desculpável, e eu não irei enforcar ninguém além do maldito escravo!

Então ele se irritou com Jaffier e disse-lhe:

– Traga-me o escravo que foi a causa desta calamidade e, se não o trouxer em três dias, sofrerás em seu lugar.

Jaffier saiu chorando e dizendo:

– Na verdade, estou cercado de mortes. Não há nada que possa fazer, aquele que me salvou da primeira vez não pode me salvar novamente. Por Alá, não sairei de minha casa durante os três dias que me restam, e Deus, que é a Verdade, fará o que Ele quiser.

Assim, ele ficou três dias em casa e, no quarto dia, fez as suas últimas disposições e despediu-se dos filhos, chorando. Logo chegou um mensageiro do califa e disse-lhe:

– O Comandante dos Fiéis está mais do que furioso à sua procura, jura que o dia não passará sem que você seja enforcado.

Ao ouvir isso, Jaffier chorou, e seus filhos e escravos e todos os que estavam na casa choraram com ele. Em seguida, trouxeram-lhe sua filhinha para que ele pudesse se despedir dela. Ele a amava mais do que todos os outros filhos; então ele a apertou contra o peito, beijou-a e chorou por ter que se separar dela, quando eis que ele sentiu algo em seu peito e disse-lhe:

– O que é isso em seu peito?

– Ó meu pai – respondeu ela –, é uma maçã com o nome de nosso senhor, o califa, escrito nela. Nosso escravo Rihan trouxe para mim há quatro dias e não me deixou ficar com ela até que eu lhe desse dois dinares por ela.

Quando Jaffier ouviu isso, ele colocou a mão em seu peito, tirou a maçã e se alegrou, dizendo:

– Ó, rápida solução para o problema!

Então ele mandou chamar o escravo e disse-lhe:

– Harkye Rihan, de onde tiraste esta maçã?

– Por Alá, ó meu senhor – respondeu ele –, embora mentir possa me tirar do perigo, é mais seguro dizer a verdade! Não a roubei do teu palácio, nem do palácio de sua alteza, nem do jardim do Comandante dos Fiéis. O fato é que alguns dias atrás eu estava passando por um certo beco desta cidade quando vi algumas crianças brincando e esta maçã na mão de uma delas. Então, eu a tirei dele, e ele chorou e disse:

– Ó, jovem, esta maçã é da minha mãe e ela está doente. Ela ansiava por maçãs, e meu pai viajou para Bassora e comprou para ela três maçãs por três dinares, e eu trouxe uma delas para cá.

Mas não prestei atenção ao que ele disse, saí com a maçã e vendi-a para minha querida patroa por dois dinares.

Quando Jaffier ouviu isso, ele se perguntou se a morte da mulher e toda essa miséria teriam sido causadas por seu escravo e lamentou pela relação do escravo consigo mesmo, enquanto se regozijava com sua própria entrega. E ele repetiu os seguintes versos:

"Se por um servo o infortúnio te sobrevier, não poupeis salvar tua própria vida às custas dele.

"Você encontrará servos em abundância para substituí-lo, vida por vida nunca, uma vez que esteja perdida."

Em seguida, ele levou o escravo ao califa, a quem contou toda a história. O chefe ficou muito surpreso e riu até cair para trás e ordenou que a história fosse registrada e publicada entre o povo. Então Jaffier disse:

– Ó, Comandante dos Fiéis, não se maravilhe com esta história, pois não é mais maravilhosa do que a de Noureddin Ali do Cairo e seu filho Bedreddin Hassan.

– O que é isso? – perguntou o califa. – E como pode ser mais maravilhosa do que esta história?

– Ó, Comandante dos Fiéis – respondeu Jaffier –, eu não a contarei a menos que perdoes meu escravo.

– Se for realmente mais maravilhosa do que as três maçãs, eu te concedo a vida de teu escravo; mas, se não, vou matá-lo.

E Jaffier contou sua história.

O homem que nunca riu

(Muhammad Vandestra, 2018)

Um jovem rapaz órfão em Bagdá é acolhido por um grupo de sheiks, que, por algum motivo misterioso, passavam seus dias chorando. Após a morte deles, o jovem decide tentar descobrir o misterioso motivo do choro, mas aprende uma grande lição.

Em Bagdá, há muitos anos, havia um homem, daqueles que possuem casas e riquezas, que tinha servos, escravos e muitas outras coisas. Um dia, ele deixou o mundo para receber a misericórdia de Deus, deixando aqui um filho pequeno. Quando o filho cresceu, ele começou a gastar todo seu dinheiro em comida, bebida, presentes e excessos, gastando as riquezas que seu pai tinha deixado para ele até que todo seu dinheiro acabou. Ele então começou a vender escravos e outras posses, mas também gastou tudo o que seu pai lhe deixara e ficou tão pobre que teve que trabalhar como os trabalhadores normais faziam. Nesse estado ele permaneceu por muitos anos. Um dia, enquanto ele estava sentado em frente a uma parede, esperando para ver se chegavam compradores, eis que um homem de fisionomia e trajes bonitos aproximou-se dele e o saudou. Então o jovem disse a ele:

– Ó tio, já me conheces?

O homem respondeu-lhe:

– Não te conheço, absolutamente, ó meu filho; mas vejo os traços de riqueza sobre ti, embora estejas nesta condição.

O jovem respondeu:

– Ó tio, o que o destino ordenou aconteceu. Mas tu tens, ó tio de rosto bonito, algum negócio para me empregar?

– Ó meu filho, desejo empregá-lo em um trabalho fácil.

– E que trabalho seria esse? – perguntou o menino.

– Tenho comigo dez *sheiks* em uma morada e não temos ninguém para atender às nossas necessidades. Receberás de nós em alimentos, roupas e dinheiro o que for suficiente e nos servirás. Talvez, também, Deus restaurará a ti tua riqueza por nossos meios.

O jovem, animado com a ideia, respondeu:

– Ouço-o e o obedecerei!

– Tenho, contudo, uma condição a impor a ti – continuou o *sheik*.

– E qual é a tua condição, ó tio? – perguntou o jovem.

– Ó meu filho, é que guardes nosso segredo com respeito às coisas que nos verás fazer e, quando nos vir chorar, não pergunte nunca a causa de nosso choro.

– Assim será, ó tio.

– Ó meu filho, venha conosco, contando com a bênção de Deus!

E o jovem seguiu o *sheik* até que ele o conduziu ao banho; depois disso, enviou um homem, que lhe trouxe uma bela vestimenta de linho. Após colocar suas novas roupas, o jovem foi aos aposentos ao encontro dos outros. Logo, ele descobriu que era uma mansão alta, com ângulos elevados, ampla, com câmaras, uma de frente para a outra, e salões, e que em cada salão havia uma fonte de água, e pássaros cantavam sobre ela. Também havia janelas que davam para todos os lados e um lindo jardim dentro da mansão. O *sheik* o conduziu a uma das câmaras decorada com mármores coloridos, teto de ouro e cheia de tapetes de seda. Lá, estavam dez *sheiks* usando seus trajes de luxo, sentados um frente ao outro, chorando a prantos.

O jovem se perguntou o que estaria acontecendo e estava prestes a questionar o *sheik* que o trouxera, mas ele então se lembrou da condição e, portanto, conteve sua língua. O *sheik* confiou ao jovem um baú que continha trinta mil moedas de ouro, dizendo-lhe:

– Ó meu filho, gaste o dinheiro de acordo com o que é justo, seja fiel, e cuide daquilo que te confiei.

E o jovem respondeu:

– Assim será.

Depois de um período de dias e noites, um dos *sheiks* morreu e seus companheiros lavaram o corpo, envolveram-no em um pano fino e o enterraram em um jardim atrás da mansão.

Acontece que acabou morrendo um *sheik* atrás do outro, até que restou apenas aquele que havia convidado o jovem. Eles ficaram juntos naquela mansão e assim permaneceram por muitos anos. Então o *sheik* também adoeceu, e o jovem, em prantos, disse-lhe:

— Ó tio, eu te servi e não falhei em teu serviço nenhuma vez em doze anos, e sim agi e servi fielmente a você de acordo com meu poder e capacidade.

— Sim, ó meu filho — respondeu o *sheik* —, tu nos serviste até que os *sheiks* fossem levados ao encontro de Deus. Devemos inevitavelmente morrer.

— Ó meu mestre, já que estás em estado delicado, desejo que me informes qual foi a causa do teu choro, do teu luto e da tua tristeza.

Ele respondeu:

— Ó meu filho, não te preocupes com isso e não exija que eu faça o que sou incapaz, pois roguei a Deus que não afligisse ninguém com a minha aflição. Agora, se desejas estar a salvo daquilo em que caímos, não abra essa porta — disse apontando para uma porta com a mão —, mas, se desejas que tudo o que nos aconteceu aconteça contigo, abra-a e saberás a causa disso tudo, mas tu te arrependerás e não vai valer a pena.

Então o *sheik* ficou mais doente e morreu. O jovem o lavou com suas próprias mãos, envolveu-o em um pano fino e sepultou-o com seus companheiros.

Ele permaneceu no palácio, em posse de todo o tesouro, mas, apesar disso, ele estava inquieto, refletindo sobre o motivo de os *sheiks* terem chorado. Um dia, enquanto estava meditando sobre as palavras do *sheik* e sua ordem para que não abrisse a porta, ocorreu-lhe que dar apenas uma olhada nela não fosse causar problemas.

Indo até ela, encontrou uma porta elegante, sobre a qual uma aranha havia tecido suas teias, e que continha quatro fechaduras de aço. Ao vê-la, lembrou-se de como o *sheik* o advertira e se afastou. Sua alma desejou que ele abrisse a porta, mas ele conteve o desejo por um período de sete dias, porém, no oitavo dia, sua alma o venceu e ele disse:

– Devo abrir aquela porta e ver o que acontecerá comigo, pois nada repelirá o que Deus decreta e predestina, e nenhum evento acontecerá senão por Sua vontade.

Assim, ele se levantou e abriu a porta, após ter quebrado as fechaduras. Ao abri-la, viu uma passagem estreita, por onde ele caminhou por três horas até chegar à margem de um grande rio. Ele continuou caminhando ao longo da margem, olhando para a direita e para a esquerda, e viu uma grande águia descer do céu. Prendendo o jovem com as garras, o pássaro voou com ele entre o céu e a terra, até transportá-lo para uma ilha no meio do mar. Lá, a águia o jogou no chão e se afastou.

O jovem ficou perplexo e sem saber para onde ir, mas, um dia, enquanto ele estava sentado, avistou a vela de um navio no mar, como uma estrela no céu. O coração do jovem se concentrou no barco, na esperança de que pudesse fugir nele. Quando a embarcação se aproximou, ele encontrou um barco de marfim e ébano, cujos remos eram de sândalo e aloés, e todo ele estava envolto em placas de ouro brilhante. Havia também nele dez donzelas, lindas como luas. As donzelas o viram e aproximaram-se dele. Beijaram-lhe as mãos e disseram:

— Tu és o rei, o noivo.

Então, avançou até ele uma donzela que era como o sol brilhando no céu claro e que tinha na mão um lenço de seda, no qual havia um manto real e uma coroa de ouro engastada com variedades de jacintos. Tendo avançado até ele, ela o vestiu e o coroou; depois disso, as donzelas o carregaram para dentro, onde ele encontrou variedades de tapetes de seda de diversas cores. Elas então espalharam as velas e avançaram pelas profundezas do mar.

O jovem teve certeza de que aquilo era um sonho e não sabia para onde estavam indo com ele. Quando avistaram a terra, trouxeram-lhe cinco cavalos marcados com selas de ouro, incrustados com variedades de pérolas e pedras preciosas, e o jovem montou em um deles. Mesmo não acreditando que aquilo fosse real, e sim imaginando que era o resultado de sonhos confusos, foram adiante até avistar uma campina verde, na qual havia palácios e jardins, árvores, rios, flores e pássaros proclamando a perfeição de Deus.

Um exército apareceu entre os jardins. Quando as tropas se aproximaram do jovem, fizeram uma saudação e eis que um rei avançou entre eles, cavalgando sozinho, precedido por alguns de seus oficiais principais caminhando.

O rei desceu de seu corcel, e o jovem, vendo-o fazer isso, também desceu. Eles se saudaram com a mais cortês saudação e então montaram novamente em seus cavalos.

O rei disse ao jovem:

— Acompanhe-nos, pois tu és meu convidado.

O jovem o acompanhou, e eles conversaram muito enquanto as tropas imponentes seguiam diante deles para o palácio do rei, onde desceram e todos entraram, junto com o rei e o jovem. O rei então se sentou no trono de ouro e pediu que o jovem se sentasse ao lado dele. Quando o rei descobriu o rosto, o jovem percebeu que o suposto monarca era, na verdade, uma donzela; uma dama de beleza, elegância e perfeição únicas. O jovem viu grande riqueza e grande prosperidade e se maravilhou com a beleza da donzela. Então a rainha disse a ele:

– Saiba, ó rei, que eu sou a rainha desta terra, e todas essas tropas que você viu, seja de cavalaria ou infantaria, são formadas por mulheres. Não há nenhum homem entre elas. Os homens entre nós, nesta terra, cultivam, semeiam e colhem, empregando-se no cultivo da terra, na construção e reparo das cidades e no atendimento aos assuntos do povo, pela busca de todo tipo de arte e comércio. Quanto às mulheres, elas são as governantes, magistradas e soldadas.

E o jovem ficou extremamente surpreso com aquilo. Enquanto eles estavam conversando, o suposto vizir entrou, e eis que o jovem descobriu se tratar de uma velha grisalha de aparência venerável e digna. A rainha disse-lhe:

– Traga-nos a Kádee e as testemunhas.

A velha saiu com esse propósito. A rainha voltou-se para o jovem, conversou com ele e dissipou seu medo com palavras gentis. Depois, com cortesia, disse-lhe:

– Você ficará contente que eu seja sua esposa?

Ele se levantou e beijou o chão diante dela, mas ela o proibiu. Ele respondeu:

– Ó minha senhora, sou menos do que os servos que te servem.

Ela então disse a ele:

– Não vês estes servos, soldados, riquezas, tesouros e reservas?

– Sim.

– Todos eles estão à tua disposição. Deverás fazer uso deles e dá-los ou concedê-los como te parecer adequado.

Então ela apontou para uma porta fechada e disse:

– De todas estas coisas tu disporás, mas nunca abra essa porta, pois, se a abrires, te arrependerás.

A Kádee e as testemunhas, todas velhas com os cabelos espalhados pelos ombros e de aspecto venerável e digno, entraram. Quando elas se apresentaram à rainha, ela ordenou que realizassem a cerimônia do contrato de casamento e eles se casaram. Após as festividades, ele residiu com ela sete anos, passando a vida mais agradável e confortável que podia imaginar.

Mas um dia ele pensou sobre a porta que lhe fora proibida: "Se não houvesse grandes tesouros dentro dela, melhores do que o que tenho visto, ela não me proibiria de abri-la", pensou.

Ele então se levantou e abriu a porta, e eis que dentro dela estava o pássaro que o carregara da margem do grande rio e o depositara na ilha. Quando o pássaro o viu, disse-lhe:

– Boas-vindas a um rosto que nunca será feliz!

Então, vendo-o, o jovem tentou fugir, mas o pássaro o seguiu e o carregou, voou com ele entre o céu e a terra por uma hora e, por fim, colocou-o no lugar de onde o havia levado, desaparecendo logo depois. Ele se sentou naquele lugar e, voltando à sua razão, refletiu sobre o que ele tinha visto de riqueza, glória e honra. O jovem chorou e lamentou. Ele permaneceu na margem do grande rio, onde aquele pássaro o havia colocado, por dois meses, desejando que ele pudesse voltar para sua esposa; mas uma noite, enquanto estava acordado, lamentando e meditando, uma voz falou:

– Quão grandes foram as delícias! Longe, longe de ti está o retorno do passado! E quantos, portanto, serão os suspiros!

Ao ouvir isso, o jovem ficou desesperado de vontade de encontrar novamente aquela rainha e de voltar para a riqueza na qual ele vivia. Ele então entrou na mansão onde os *sheiks* haviam residido e soube que eles haviam experimentado algo semelhante e que essa era a causa de seu choro. A tristeza e a ansiedade tomaram conta do jovem e ele entrou em seu quarto e não parou de chorar e gemer, renunciando à comida e bebida, aos cheiros agradáveis e aos risos, até que morreu, sendo enterrado ao lado dos *sheiks*.

Os pássaros que viraram amigos do rei

(Recontados por Constance Armfield, 1920)

Quando o Islã foi fundado, havia considerável influência judaica na Arábia, por isso, muitas histórias do Antigo Testamento e suas elaborações judaicas foram incorporadas ao Alcorão.

Salomão é retratado no Alcorão não apenas como um grande e rico rei com poder sobre os animais, mas também como um profeta de Deus. Nesta história, ele conhece a rainha Belkis e, acreditando que a rainha adorava o Sol em vez de Deus, Salomão escreveu a ela, chamando-a para vir a ele "em humilde submissão" (Alcorão Sura 27:31). A rainha respondeu com uma carta e presentes e partiu para visitar Salomão em seu palácio de cristal.

Essa é a história de como os passarinhos conheceram o grande rei Salomão.

Certa vez, o rei encontrava-se longe, no deserto, pois não havia nenhuma parte de seu reino que Salomão não visitasse. Ele tinha sido notificado de que a grande cidade-armazém havia sido terminada a seu gosto e, assim, abriu caminho através da areia, com os camelos e os dromedários e seus panos de sela bordados brilhantes como flores e joias brilhando tão intensamente quanto o próprio sol.

Mas fazia muito sol e o rei Salomão desejou ficar na sombra. Como que em resposta ao seu desejo, um bando de passarinhos apareceu. Curiosos por natureza, eles circularam até chegarem ao camelo do rei e mantiveram-se acima da cabeça dele, para que pudessem observar o mais famoso de todos os monarcas e, quem sabe, ouvir alguma palavra de sabedoria. Assim, os passarinhos fizeram uma sombra sobre o rei durante toda a sua jornada e foram ricamente recompensados por isso, pois Salomão era sempre educado, até com a criatura mais humilde de seu reino.

Quando chegaram ao palácio, ele agradeceu o serviço que lhe prestaram e perguntou o que poderia fazer em troca. Os passarinhos haviam começado sua conversa com Salomão de maneira bastante modesta; na verdade, eles ficaram muito surpresos de o rei ter falado com eles. O monarca, entretanto, questionava-os tão gentilmente sobre seus modos de vida e seus gostos que eles perderam o medo e foram até seu maravilhoso palácio, viram todos os servos em suas vestes brilhantes de pé atrás do trono do rei e, esperando em sua mesa, notaram as paredes de marfim incrustadas com ouro, os leões de ouro guardando os degraus e os pavões brancos nos terraços de prata.

Então, em vez de responder a Salomão com agradecimentos de sua parte e dizer-lhe que suas palavras de sabedoria eram uma rica recompensa pela sombra que eles haviam feito, os pássaros pediram licença para se consultar e retiraram-se para o telhado do palácio, onde discutiram o que iriam pedir. Finalmente, eles decidiram que gostariam de coroas de ouro, como o próprio rei usava, porque então poderiam retornar aos outros pássaros e reinar sobre eles. Em seguida, os passarinhos desceram com pressa e fizeram seu pedido ao rei enquanto ele caminhava em seu maravilhoso jardim.

— O que o rei disse o rei disse — respondeu Salomão. — O presente que vocês desejam será concedido; mesmo assim, já que me prestaram um verdadeiro serviço, quando quiserem se livrar de suas coroas, vocês podem retornar e trocá-las por sabedoria.

— Não, rei — disseram os passarinhos. — Bem, sabemos que a sabedoria traz grande renome, mas ninguém se curvaria diante de você ou daria atenção às suas palavras se não usasse a sua coroa de ouro. Poderemos repetir suas sábias palavras proveitosamente agora, pois todos nos ouvirão quando virem coroas de ouro em nossas cabeças também.

— Mesmo assim, volte para mim sem medo ou vergonha se as suas coroas não satisfizerem — disse o rei Salomão gentilmente e ordenou que seus ourives fornecessem aos passarinhos coroas do melhor ouro possível.

E lá voaram os passarinhos tolos, com as coroas brilhantes na cabeça, mais orgulhosos do que os pavões e tagarelando mais alto do que os papagaios e as araras. Eles mal podiam esperar para voltar para seus amigos e ouvir suas exclamações. Mas quando os passarinhos informaram a seus amigos que eles eram agora reis do Mundo dos Pássaros, os outros pássaros apenas riram e disseram que estavam bastante satisfeitos com Salomão, e ele era o único rei que desejavam ou precisavam. Em seguida, eles expulsaram os supostos pássaros reis das árvores, pois suas coroas douradas sempre ficavam presas nos galhos e os outros se cansavam de ajudá-los. Entretanto, decididos de que os outros estavam apenas com inveja, os pássaros, um tanto lisonjeados, reuniram-se em volta das lagoas para se admirarem na água.

Logo as pessoas começaram a notar as estranhas travessuras daqueles pássaros enquanto se exibiam para cima e para baixo, inclinando a cabeça primeiro para um lado, depois para outro, até que finalmente um homem pegou um deles e notou a maravilhosa coroa de ouro que ele usava. Ele correu com o animal para um ourives, que lhe deu um valor tão alto por ele que o homem correu de volta para a lagoa e preparou armadilhas para os outros pássaros, que estavam tão ocupados se admirando que mal olharam para ele.

Então chegou o momento mais triste para os pássaros: os humanos começaram a caçá-los. Os pobres passarinhos não podiam ir para as lagoas e os lagos porque estavam cheios de redes, não podiam ir para os jardins porque os passarinheiros se escondiam atrás das flores para pegá-los, não podiam voar para os telhados porque mesmo ali as pessoas tinham armado armadilhas para eles. Não parecia haver um local na terra onde pudessem descansar e, por fim, os miseráveis passarinhos voaram de volta para o palácio e esperaram até ver o grande rei Salomão vindo ao longo de seu terraço, ouvindo seus cantores enquanto se apresentavam no fresco da noite.

– Oh, rei – disseram eles –, descobrimos que as coroas de ouro são apenas vaidade; não sabemos como evitar ser perseguidos e caçados, por isso, viemos pedir-lhe que as retire de nós.

— Amados passarinhos — disse o rei —, uma coroa à qual se espera que as pessoas se curvem sempre pesa sobre a cabeça e uma coroa que desperta inveja é uma rede para os pés. A única coroa que pode ser usada com conforto é a coroa do serviço e essa coroa deve brotar naturalmente para que ninguém dê atenção a ela.

— Dê-nos a coroa do serviço, ó sábio rei — disseram os pobres pequeninos pássaros muito humildemente, pois eles não queriam nada mais agora do que ser ignorados.

— Que ela lhes abrigue assim como me abrigou — disse o grande rei e, nas cabeças dos pássaros, surgiram coroas de penas. Mas com essas coroas veio um sentimento totalmente novo para eles: eles não desejavam mais governar, mas sim servir.

A lenda árabe conta que Salomão tinha um maravilhoso tapete voador, onde se sentava em um trono dourado com todos os seus assistentes ao seu redor. Ciente da utilidade dos pássaros, ele convocou todos para fazer um dossel voador. Guiado por uma águia e protegido pela sombra formada pelos passarinhos, Salomão, seus amigos e servos levantavam voo e viajavam pelo deserto, mar e terra, com frescor e conforto.

Um dia, no entanto, quando eles estavam no deserto e o sol batia com toda a sua força, um raio de sol passou e atingiu o rosto do rei. Um buraco apareceu no dossel. A águia voou imediatamente para ver o que havia acontecido e percebeu que um dos pássaros estava ausente de seu lugar, deixando um buraco pelo qual o raio de sol entrou. A águia apresentou-se perante Salomão e contou as notícias surpreendentes. O rei ordenou à águia que se apressasse imediatamente e encontrasse o passarinho perdido, que provavelmente havia voado acima das cabeças de todos os outros pássaros para escapar, pois ninguém o vira partir.

A águia foi embora, subindo cada vez mais até que se perdeu de vista nos céus. Mas, embora ninguém na terra pudesse vê-la agora, sua visão era muito aguçada e logo ela avistou uma partícula distante voando pelo deserto e desceu ao encontro do pássaro perdido.

– Onde você esteve? – gritou a águia.

O passarinho respondeu:

"Onde o mármore negro corta o ar,
Em grandes paredes, todas brilhando nuas,
Parado à beira da água: lá uma grande rainha eu avistei.
Banheiras douradas de laranjeiras
Ficam contra as paredes, mas estas
Não são nem metade tão brilhantes quanto ela,
Sentada em grande majestade.
Ela é chamada de rainha Balkis
E sua terra é um jardim,
Que fica ali, do outro lado da Arábia."

O passarinho estava tão emocionado que começou a falar em versos, porque não conseguia expressar seus sentimentos de outra maneira, mas a águia estava terrivelmente zangada. O pássaro parecia não se importar de ter abandonado Salomão e seguiu voando e criando poesia sobre uma rainha como se não tivesse feito nada de errado!

— E, nesse meio tempo, o que você acha que o grande e sábio rei Salomão tem feito? — trovejou a águia. — O rei cuja nobre cabeça você deveria proteger?

— Ah, poupe-me de condenações, eu imploro — disse a pequena ave —, pelo bem de ninguém menos que nosso sábio e nobre rei.

— Poupar você por causa dele? — disse a águia, muito surpresa. — Que misericórdia você merece? E como pode poupar você ajudaria nosso grande rei?

— No entanto, eu digo, poupe-me por causa dele e leve-me de volta com você o mais rápido que puder, pois tenho uma mensagem muito urgente para entregar a ele.

A águia ficou tão surpresa com a ousadia do passarinho que permitiu que ele o acompanhasse de volta ao tapete voador. Chegando ali, o pássaro voou para o braço do trono de Salomão.

— Eu o encontrei no meio do deserto — disse a águia.

Mas, antes que a águia pudesse dizer outra palavra, o passarinho interrompeu:

"Oh, grande rei, além de suas terras
Um palácio de mármore preto existe
Com uma rainha maravilhosa nele,
Uma rainha de cabelos e pele dourados.
Ela é mais brilhante que uma fruta de ouro,
E o nome dela é rainha Balkis."

— E como você foi visitá-la? — perguntou Salomão, muito severamente. — Você não estava trabalhando e não sabe a pena para aqueles que fogem do serviço?

— Peço misericórdia — gritou o passarinho —, assim como algum dia você também pedirá. Sim, grande rei, errei e sei muito bem que mereço um castigo terrível, mas deixe-me contar-lhe as maravilhas que vi e dar a mensagem que me foi dada, antes que me esmague com a mão.

— Por que eu deveria ouvir você? — indagou Salomão.

— Porque você mesmo disse que aquele que dá ouvidos aos conselhos é sábio — respondeu o passarinho. — Saiba que eu tinha ouvido falar da maravilhosa rainha de Sabá por meio de um pássaro que conheci em Meca e, enquanto voávamos pela Arábia, olhei para baixo e vi a terra da qual tanto me haviam falado. Não, eu não tinha ouvido que a rainha que vivia lá era mais rica que até mesmo o grande rei, meu mestre? Portanto, não resisti a voar abaixo do dossel e dar uma olhada. Não foi o grande rei que disse: "O desejo realizado é doce para a alma"?

— Sim, e o caminho do tolo está certo segundo ele mesmo — disse Salomão severamente.

— Ah, grande rei, não me esmague até que eu tenha dado a mensagem — gritou o pássaro. — Até que você tenha ouvido toda a história, você não pode me julgar. Ouça a história da minha visita. Fértil e abundante em especiarias e gomas é a terra de Sabá, mas não pude notar nada admirável no palácio de mármore todo preto que se erguia do centro do reino. No entanto, quando cheguei ao palácio, parei de pensar nisso, pois, sentada em um trono de ébano, estava a mais bela rainha que se pode imaginar, com cabelos dourados ondulando sobre os degraus do trono e sendo abanada por dezenas de servos. Eu perguntei por que eles a estavam abanando e eles disseram que a coroa da rainha estava tão pesada que ela não conseguia suportar o peso de seu próprio cabelo. Voei entre as tranças perfumadas, finas como chuva dourada, e assim cheguei perto dela e a ouvi murmurar que lhe faltava sabedoria e compreensão e não sabia como governar seu reino.

Eu disse então à rainha:

– Ouça o conselho de um passarinho que é servo do rei mais sábio de todo o mundo. Bem, eu sei que Salomão sabe como governar seu reino com sabedoria, pois eu mesmo usei uma coroa e sei como é difícil governar. Mas Salomão me livrou da minha coroa de ouro e me deu esta que eu uso com conforto. Uma coroa para a qual se espera que cada um se curve pesa sobre a cabeça; a única coroa que pode ser usada com facilidade é a coroa do serviço.

– Oh, sábias palavras! – disse a rainha. – Que sorte tens de conhecer o grande rei Salomão. Vá até seu mestre e pergunte se sua sabedoria lhe ensinou bondade e se ele se dignaria a aconselhar uma rainha fraca e triste que mal tem a coragem de cruzar o deserto e se apresentar diante do trono de alguém que governou seu reino tão bem.

O rei o escutava.

– E agora, qual é a sua resposta, oh, Salomão? – continuou o passarinho. – Devo voltar e dizer que ela pode vir e aprender com sua sabedoria ou você vai esmagar um passarinho em sua mão cujo único defeito é ser muito curioso, um defeito que me levou a voar sobre sua cabeça a primeira vez que nos encontramos.

– Fique tranquilo – disse Salomão. – Pelas palavras faladas a tempo, seu pecado será perdoado. Voe de volta para a rainha, com este anel de sinete, e diga a ela que, a um lugar onde um passarinho não tem medo de ir, uma rainha pode segui-lo com segurança.

Então o passarinho alegremente ergueu-se das mãos de Salomão e voou de volta para a rainha Balkis. Quando a maravilhosa procissão real alcançou com segurança o palácio de Salomão, e a grande rainha Balkis, com sua longa fila de camelos carregados com especiarias, pedras preciosas, ouro, ébano e marfim, ajoelhou-se diante de seu trono, o pequeno pássaro circulou no ar acima de suas cabeças, cantando em sua alegre voz estridente estas palavras que o rei tantas vezes disse:

– Uma palavra bem falada é como maçãs de ouro em pinturas de prata. Como brinco de ouro e ornamento de ouro fino, assim é o repreensor sábio para o ouvido obediente!

Seres, animais e lugares mitológicos

Maravilhas das criaturas e das coisas estranhas existentes é um tratado de Zakariya al-Qazwini. Escrito pela primeira vez em árabe no final dos anos 1200 e dedicado ao governador de Bagdá, o texto é provavelmente o exemplo mais conhecido de literatura Aja'ib, um gênero da literatura islâmica clássica que se preocupava com mirabilia, ou seja, tópicos cosmográficos e geográficos que desafiavam a compreensão das pessoas da época.

Esses tópicos iam desde a anatomia humana até estranhas criaturas míticas; de plantas e animais até constelações de estrelas e signos do zodíaco. Esses tópicos eram considerados mirabilia porque, muitas vezes, diziam respeito a coisas que não existem e, outras vezes, porque descreviam fenômenos naturais que ainda não podiam ser explicados.

O manuscrito era imensamente popular no mundo islâmico: foi traduzido para o persa e o turco e copiado durante séculos em edições ricamente ilustradas.

Qazwini menciona cinquenta nomes como suas fontes. Os mais importantes eram antigos geógrafos e historiadores, como al-Istakhri, Ibn Fadlan, al-Mas'udi, Ibn Hawqal, al-Biruni, Ibn al-Athir, al-Maqdisi e al-Razi. Apesar de o trabalho de Qazwini ser uma compilação de fontes conhecidas e desconhecidas, ele influenciou trabalhos posteriores da cosmologia islâmica e da geografia islâmica por meio de seu estilo e sua linguagem. A cosmografia de Qazwini não se trata de ciência pura, pois também se destina a entreter seus leitores, enriquecendo as explicações científicas por meio de histórias e poesia.

A cosmografia de Qazwini é dividida em duas partes. A primeira é a parte celestial, que trata das esferas do céu e de seus habitantes, da cronologia e dos conhecimentos astronômicos, que, como era comum na época, acabavam se misturando com a astrologia. A segunda discute a parte terrestre, como os quatro elementos, os mares e rios, as plantas, os minerais e uma espécie de bestiário. Ele também discute o homem, as faculdades de sua alma, o seu caráter, as suas fraquezas e as suas doenças.

A seguir, serão apresentadas algumas imagens de uma cópia quase completa e bastante ilustrada, provavelmente copiada e ilustrada no Oeste da Índia, da cosmologia composta no século XIII por al-Qazwini.

Criaturas da Ilha de Zaneh.

A serpente do mar.

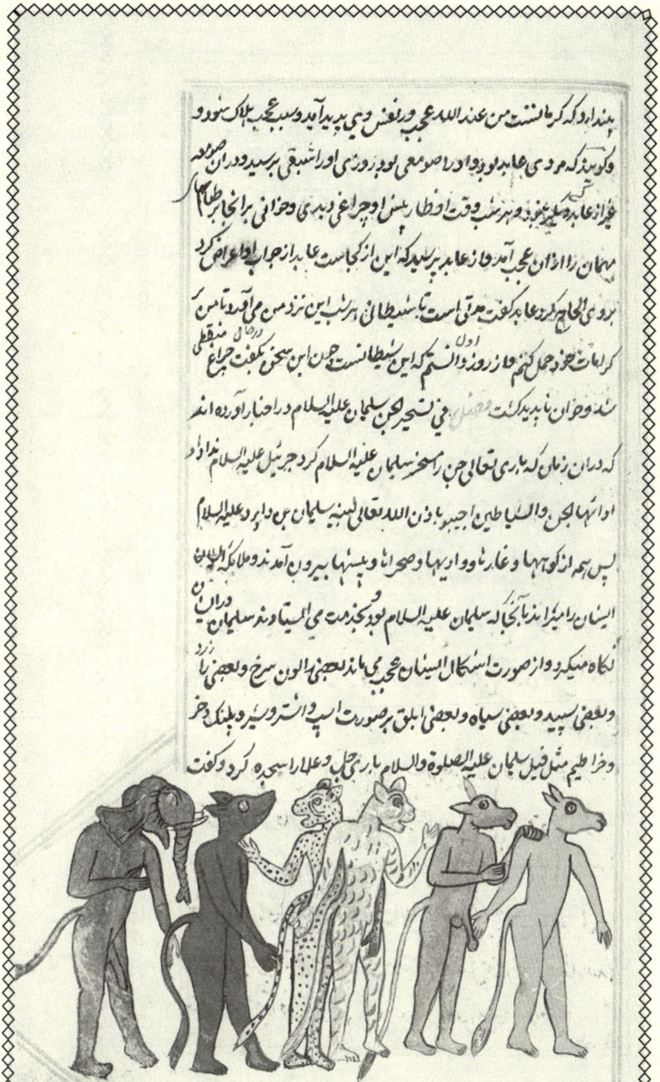
پندارد که کرامتست من عند الله عجب در نفس وی پدید آید و سبب عجب هلاک شود و
و گویند که مردی عابد بود و او را صومعی بود روزی او را شبحی برسید و در آن صومعه
چراغ عابد کی بود و هر شب وقت افطار پیش او چراغی دیدی و خوانی برانجا بر طعام
مهمان را از آن عجب آمد و از عابد پرسید که این از کجاست عابد از جواب ابا و اعراض کرد
بروی الحاح کرد عابد گفت مرا آیتیست تا سلطان هر شب این نزد من می آورد تا من
کرامات عزوجل کنم عابد روز اول الشم که این شیطانست چون این سخن بگفت چراغ منقطع
شد و خوان ناپدید گشت فصل فی تسخیر الجن سلیمان علیه السلام در اخبار آورده اند
که در آن زمان که باری تعالی جن را مسخر سلیمان علیه السلام کرد جبرئیل علیه السلام ندا داد
ایها الجن والشیاطین اجیبوا باذن الله تعالی لنبیه سلیمان بن داود علیه السلام
پس همه از کوهها و غارها و وادیها و صحراها و بیشهها بیرون آمدند و ملائکه ایشان
ایشان را میراندند تا بجایگاه سلیمان علیه السلام بود بخدمت می ایستادند سلیمان در ایشان
نگاه میکرد و از صورت اشکال ایشان عجب میماند بعضی را لون سرخ و بعضی را زرد
و بعضی سپید و بعضی سیاه و بعضی ابلق بر صورت اسپ و اشتر و شیر و پلنگ و خر
و خراطیم مثل فیل سلیمان علیه الصلوة والسلام باری جل و علا را سجده کرد و گفت

Ilustração que descreve a lua na obra de Al-Qazwini.

Ilustração do manuscrito retratando o arcanjo Israfel.

Simurgh.

ALMIRAJ

Al-Mi'raj ou Almiraj é um animal mítico que vive em uma ilha misteriosa chamada Jazirah al-Tennyn (Ilha da Serpente do Mar), localizada supostamente dentro dos confins do Oceano Índico.

Acredita-se que o Almiraj se pareça com um coelho, porém com um chifre semelhante ao de um unicórnio e o pelo levemente amarelado. De acordo com a lenda, esse animal foi dado de presente a Alexandre, o Grande, pelos habitantes da ilha depois que ele matou um dragão que estava comendo o gado das pessoas que lá habitavam.

Conta-se que são criaturas tímidas, consideradas, por alguns, imprevisíveis e até mesmo bobas. No entanto, um Almiraj também é corajoso e não conhece o medo. Eles são fáceis de acariciar e domar e incrivelmente fiéis aos seus mestres. Por esse motivo, os feiticeiros frequentemente os procuravam para torná-los seus companheiros.

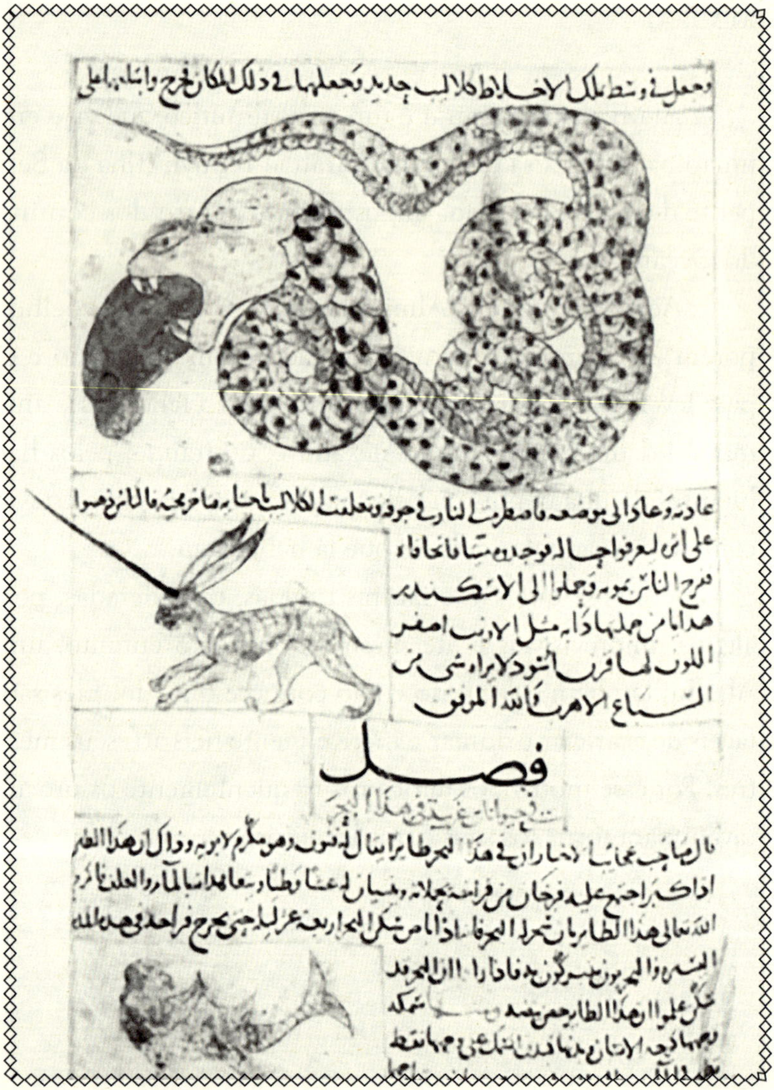

Página que descreve um Al-Mi'raj com uma serpente, provavelmente da história de Alexandre, o Grande, derrotando a serpente e recebendo o Al-Mi'raj como um presente. Da página 131 do Manuscrito da Baviera.

ANQA

Na mitologia árabe, a Anqa é uma grande ave misteriosa. Diz-se que ela voa para longe e só aparece uma vez na vida. No entanto, conta-se também que ela pode ser encontrada no lugar onde o sol se põe.

A Anqa é descrita como uma ave muito bonita e colorida, com um pescoço longo, rosto humano, quatro pares de asas e alguma semelhança com todos os seres vivos.

Em *Maravilhas das criaturas e das coisas estranhas existentes*, Zakariya al-Qazwini fala sobre a anqa como "o parente dos pássaros que viviam sozinhos no Monte Qaf" e "um pássaro sábio com experiência adquirida ao longo de muitas eras e que dá advertências e conselhos morais". Qazwini também diz que a ave vive mil e setecentos anos. Diz-se que a Anqa não come nada, exceto elefantes e peixes grandes.

Manuscrito antigo.

O mistério da cidade perdida de Atlântida, imaginada no Oceano Atlântico, é retratado em uma série de livros, filmes e artigos. Em menor escala, a Arábia tem sua própria lenda de uma cidade perdida, a chamada Atlântida das Areias, que tem sido há séculos uma fonte de debate entre historiadores, arqueólogos e exploradores.

A cidade perdida de Atlântida das Areias era supostamente uma antiga cidade da Arábia, que foi destruída e enterrada sob a areia por uma série de desastres naturais enviados por Alá. Vários nomes foram dados a essa cidade ao longo do tempo. Os mais comuns eram: Iram dos Pilares, Ubar e Wabar.

O Alcorão menciona Iram em Surah Al-Fajr (6–14):

6: *Você não considerou como seu Senhor lidou com 'Aad –*

7: *[Com] Iram – que tinha pilares elevados,*

8: *Pessoas como essas nunca foram criadas nas terras*

9: *E [com] Thamud, quem esculpiu as rochas no vale?*

10: *E [com] o Faraó, dono das estacas?*

11: *[Todos] os que oprimiu dentro das terras*

12: *E aumentou aí a corrupção.*

13: *Então, o seu Senhor derramou sobre eles um flagelo de punição.*

14: *Na verdade, o seu Senhor está em observação.*

Existem várias explicações para a referência a "Iram – que tinha pilares elevados". Alguns interpretam o termo como uma localização geográfica, uma cidade ou área, enquanto outros acreditam se tratar do nome de uma tribo. Aqueles que a identificaram como uma cidade fizeram várias sugestões sobre onde ou se a cidade tinha existido: os palpites vão desde Alexandria ou Damasco até uma cidade que realmente teria mudado de lugar, tendo sido transferida para outro local.

Uma versão da história conta que Iram era adornada com edifícios elevados e habitada por uma tribo conhecida como Ad. Como eles se afastaram de Alá e levaram uma vida perversa, o profeta Hud foi enviado para convocá-los a retornar às boas práticas. O povo de Iram reagiu com hostilidade e não deu ouvidos às palavras de Hud. Como resultado, a tribo foi punida, e uma tempestade de areia foi enviada contra sua cidade por sete noites e oito dias consecutivos. No final, Iram desapareceu sob as areias como se nunca tivesse existido.

Uma outra versão conta que, construída há quase cinco mil anos, Iram era um centro de processamento e transporte de olíbano, uma resina aromática que crescia nas montanhas próximas de Qara. Usado em cremações, cerimônias religiosas, perfumes e medicamentos, o olíbano era, na época, tão valioso quanto o ouro. Por meio do comércio do item, os governantes de Iram se tornaram ricos e poderosos, e os seus residentes ficaram – de acordo com a lenda islâmica – tão perversos e depravados que, eventualmente,

Deus destruiu a cidade, permitindo que ela fosse engolida pelo deserto inquieto.

Por um lado, a história de Iram pode ser tomada apenas como um conto de moralidade, usado para pregar que as pessoas devem obedecer a Alá e não se comportar de maneira arrogante. Por outro, pode haver alguma verdade nessa história, e, de fato, há muitos que acreditam que tal cidade poderia ter existido.

Foi nas *Mil e uma noites* que um relato mais elaborado e detalhado de Iram chegou ao público europeu. Na noite duzentos e setenta e sete, apresenta-se a história de Iram – uma história que então atingiu o auge de sua grandiosidade.

"*Trezentos anos foram gastos na obra e, quando ela foi concluída, os construtores foram até o rei e disseram-lhe que estava feito. Ele então ordenou que construíssem uma grande fortaleza no alto da cidade, ao redor da qual haveria mil palácios, cada um apoiado em mil pilares, que, por sua vez, seriam cada um a residência de um vizir. Os construtores partiram imediatamente e passaram vinte anos na obra, após os quais voltaram a Shaddad e disseram-lhe que haviam feito o que ele queria. Ele então ordenou a seus mil vizires, seus principais oficiais e aos soldados em quem ele confiava que estivessem prontos para viajar a fim de se mudar para Iram, a Cidade dos Pilares...*"

A introdução de Iram por meio de *Mil e uma noites* para um público ocidental em uma época de expansão colonial criou um grande fervor. Exploradores, escritores, militares, arqueólogos e antropólogos emergentes – campos de estudo relativamente novos na época – voltaram suas atenções para encontrar essa cidade espetacular e para revelar seus muitos milhares de segredos.

Muitos exploradores continuam a acreditar que a cidade perdida realmente exista e seguem a procurando. Alguns acreditam que ela está localizada em algum lugar nos desertos do Sul do que é hoje a Arábia Saudita.

Os cientistas chegaram até a rastrear a região com um sistema de radar de ônibus espacial, que foi capaz de "ver" através da areia sobrejacente para identificar características geológicas do subsolo. Usando as imagens, a equipe foi capaz de identificar as antigas rotas de comércio, que foram compactadas em superfícies duras devido à passagem de centenas de milhares de camelos. Eles acreditavam que, se a cidade existisse, as junções onde as rotas comerciais convergiam ou se ramificavam poderiam ser locais prováveis para sua localização.

Armados com essa informação, eles convocaram arqueólogos e exploradores. A equipe fez uma breve expedição preliminar a Omã, pesquisando cerca de trinta e cinco locais. Eles encontraram fragmentos de cerâmica e outras evidências das rotas de comércio, mas nada que mostrasse que tinham encontrado a cidade definitivamente.

Apesar de sua popularidade entre os aventureiros ao longo dos séculos, a história de Iram permanece relativamente desconhecida. Sua associação com a cidade fictícia de Atlântida fez a maioria das pessoas ver Iram como uma lenda, parte do folclore, um conto transmitido de geração em geração, relegado ao reino da pseudo-história. A cidade conquistou, contudo, a imaginação de poetas, viajantes e arqueólogos, e o seu humilde legado perdura até os dias atuais.

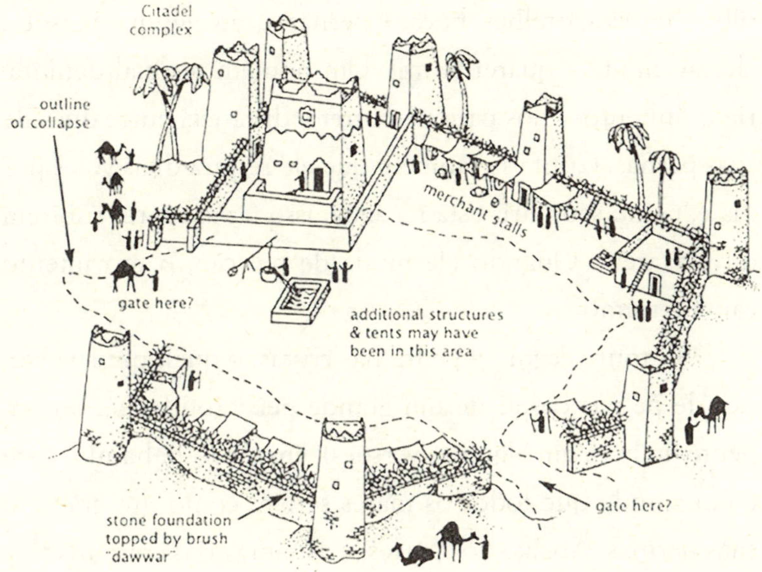

Esquema de como seria a cidade de Iram.

BAHAMUT E QUYUTA

Uma das crenças da cosmologia islâmica primitiva conta que a Terra, quando foi inicialmente criada por Alá, era mole e instável como um navio em um mar tempestuoso.

Para oferecer-lhe sustentação, Ele criou um anjo que a segurava do lado leste ao oeste. A medida ajudou, mas não foi suficiente: como não havia nada abaixo do anjo, então Ele criou uma rocha vermelha com sete mil perfurações para sustentá-lo, sendo que, de cada uma delas, saia um mar cuja largura só Alá conhece.

Então Ele criou um grande touro chamado Quyuta para apoiar a rocha. Conta-se que o touro tinha diversos olhos, narizes, orelhas, bocas e pernas, e em algumas versões, chegavam até a quarenta mil. Um homem normal demoraria quinhentos anos para percorrer a distância entre duas de suas pernas. Conta-se também que ele respira duas vezes por dia e, como seu nariz está na água, isso faz as marés subirem ou baixarem. Quando ele muda de posição, o movimento causa terremotos.

O touro segura a pedra nas costas, o qual, por sua vez, fica de pé nas costas de um grande peixe (ou baleia ou serpente do mar, em algumas versões), chamado Bahamut. Este é tão grande que todos os mares seriam como um grão em suas narinas. Abaixo dos peixes, existiam várias combinações de água, terra, vento sufocante, areia, escuridão e névoa, o que é o máximo que o conhecimento humano alcança.

Diferentes versões apresentam algumas discrepâncias em relação à lenda. Na versão de Yaqut al-Hamawi, por exemplo, o touro e o peixe eram considerados os responsáveis por beber a água que escoava da terra para o mar, mantendo o nível básico da água do oceano. No entanto, quando seus estômagos se enchessem, eles ficariam agitados, o que seria um sinal do advento do Dia do Julgamento.

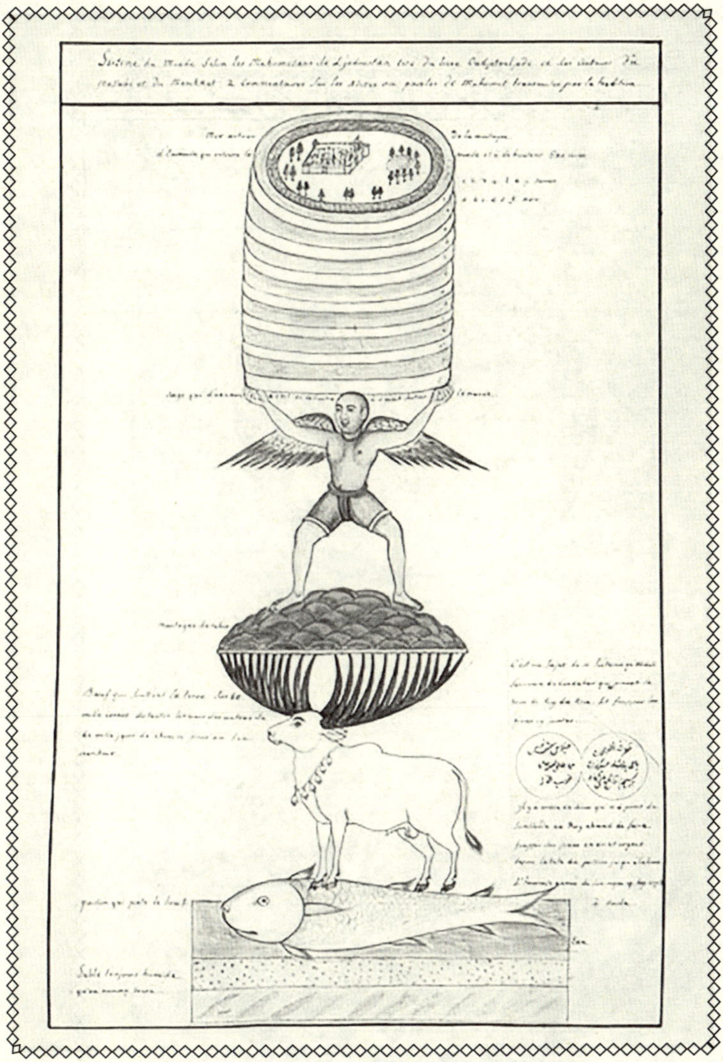

A montanha que sustenta o anjo que se equilibrava no touro com vários chifres. Cosmografia islâmica – Gentil Album (1774), p. 34.

Diferentes esquemas de visualização do mundo, comuns no século XIII.

GHOUL

Um ghoul, na lenda popular, é um ser demoníaco que habita cemitérios e outros lugares desertos. No folclore árabe antigo, os ghouls pertencem a uma classe diabólica de jinn (espíritos) e são considerados descendentes de Iblīs, o príncipe das trevas no Islã. Eles são capazes de mudar constantemente de forma, mas, em geral, são repugnantemente feios e cheiram à morte, além de sua presença ser sempre reconhecível por seu sinal inalterável: cascos de asno.

Eles podem se transformar em mulheres bonitas que atacam homens luxuriosos, atraindo-os para uma área isolada, ou em algum animal do deserto, como uma hiena. Acredita-se que eles permaneceriam nessas formas até que tivessem a chance de atacar sua vítima e devorá-la. Acredita-se também que esses carniceiros gostem especialmente de predar viajantes solitários ou pequenos grupos. Algumas histórias afirmam que eles acendem fogueiras em caminhos bem percorridos para atrair um único viajante para uma armadilha e devorá-lo.

O ghoul, como figura vívida na imaginação beduína, apareceu na poesia árabe pré-islâmica, notadamente na de Ta'abbaṭa Sharran. No Norte da África, foi facilmente assimilado por um antigo folclore berbere já rico em demônios e criaturas fantásticas. Os árabes modernos usam o termo "ghoul" para designar um canibal humano ou demoníaco e, com frequência, utilizam a palavra para assustar crianças desobedientes, mas não era esse o sentido da palavra originalmente. Os textos árabes não os identificavam como ladrões de túmulos que comiam mortos. Esse detalhe parece surgir com a tradução francesa de Antoine Galland de *As mil e uma noites* no início do século XVIII. Galland não apenas tomou liberdades em sua tradução, como também criou e adicionou personagens, como a personagem feminina Amina, que prefere a companhia de ghouls do cemitério à de seu novo marido.

Por causa disso, os carniceiros foram transformados de uma maneira que levou a muitas interpretações modernas da criatura. Anglicizada como ghoul, a palavra entrou na tradição inglesa e foi posteriormente identificada como uma criatura que rouba túmulos e se alimenta de cadáveres e crianças. No Ocidente, esses carniceiros não têm uma imagem específica e foram descritos por Edgar Allan Poe como "nem homem nem mulher... nem bruto nem humano". Acredita-se que eles usem disfarces, montem em cachorros e lebres e acendam fogueiras à noite para afastar os viajantes das estradas principais.

Ghoul atacando uma vítima do manuscrito persa O *Shahnameh.*

IFRIT

Ifrit é uma classe de poderosos seres sobrenaturais malévolos da mitologia e do folclore islâmico.

O significado exato do termo "ifrit" nas fontes mais antigas é difícil de determinar: ele não ocorre na poesia pré-islâmica e é usado apenas uma vez no Alcorão, na frase "o ifrit dos jinns" (Alcorão 27:39), que parece falar sobre um membro rebelde dos jinns. A frase é recorrente no Hadith (narrativas contando as palavras, ações ou aprovações de Maomé).

A partir de então, o termo "ifrit" passou a se referir a toda uma classe de seres rebeldes formidáveis. Além desses atributos, as características de um ifrit permaneceram vagas e instáveis, e o termo é, muitas vezes, confundido na literatura posterior com o mārid, outro demônio perverso e rebelde.

Os contos populares geralmente retratam uma enorme criatura alada feita de fumaça, seja macho ou fêmea, que vive no subsolo e frequenta ruínas. Os ifrits vivem em uma sociedade estruturada ao longo de antigas linhas tribais árabes, completas com reis, tribos e clãs. Eles geralmente se casam entre si, mas também podem se casar com humanos. Embora as armas e forças comuns não tenham poder sobre eles, os ifrits são suscetíveis à magia, a qual os humanos podem usar para matá-los ou para capturá-los e escravizá-los. Tal como acontece com os jinns, um ifrit pode ser um crente ou um incrédulo, bom ou mau, mas, na maioria das vezes, são descritos como seres perversos e implacáveis.

Embora os ifrits gostem de aparecer em sua forma poderosa, eles também são capazes de surgir em outras formas. Quando um ifrit aparece em sua forma natural, são vistos fumaça e fogo. Porém, quando aparecem em uma forma diferente, são capazes de se disfarçar como animais ou humanos comuns. Existem algumas lendas que sugerem que um ifrit na forma humana pode aparecer como pessoas escurecidas pelo fogo. É por isso que muitos africanos eram considerados (ou chamados de) ifrits por aqueles que foram criados na tradição árabe.

Os ifrits são conhecidos por seu imenso poder. Além de sua força, eles têm os mesmos poderes de outros gênios. Isso inclui ser capaz de se transformar em quase qualquer forma desejada e ter a habilidade de lançar feitiços. Eles também são imunes a armas mortais, o que significava que seu grande poder, muitas vezes, não podia ser igualado apenas pelo poder humano.

UM IFRIT PODE SER VENCIDO/ANIQUILADO?

Acredita-se que a única maneira de realmente ter poder sobre um ifrit é usar magia. Embora os ifrits sejam muito fortes e resistentes, eles não são seres mágicos. Portanto, o uso da magia apresenta uma oportunidade única para os humanos. Com ela, os humanos são capazes de ferir e matar ifrits, bem como prendê-los à servidão. Aliás, o uso de magia por humanos é a única coisa que os ifrits e outros jinns realmente temem. A magia costumava ser usada para vincular ifrits a objetos. Quem quer que possuísse o objeto vinculado ao ifrit era considerado seu mestre. Acredita-se que, possivelmente, a lenda dos três desejos da lâmpada se originou dessas práticas mágicas.

Embora a magia fosse a forma mais comum conhecida para prejudicar ou capturar um ifrit, havia outras maneiras de se obter poder sobre essas criaturas. Uma das formas mais comuns de um cidadão se proteger do ifrit era simplesmente recitar um du'a, um profundo ato de adoração.

Um ifrit chamado Arghan Div traz o baú de armadura para Hamza. Os olhos flamejantes do ifrit estão ligeiramente cruzados, e a sua pele laranja está manchada por toda parte. Além disso, carrega um baú sobre as águas em nome de Hamza, o tio do profeta Muhammad, por razões inexplicáveis (ilustração de manuscrito antigo).

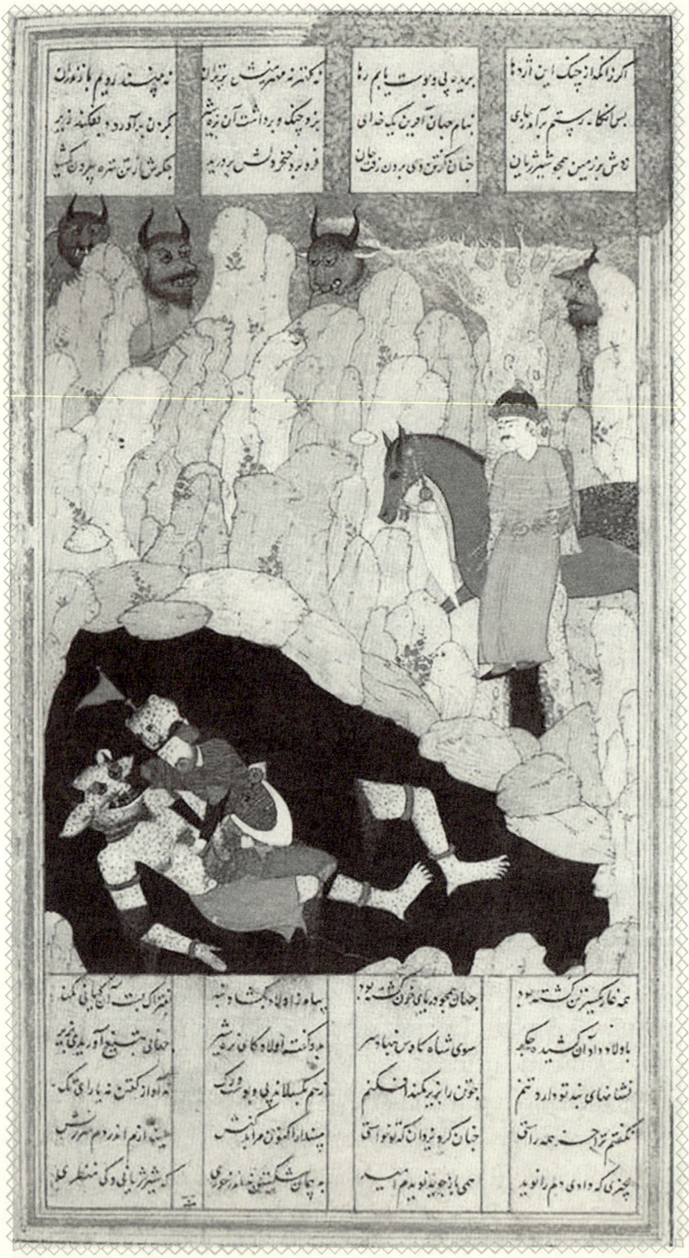

Manuscrito árabe.

Um jinn, traduzido para o português como "gênio", é uma criatura sobrenatural na mitologia árabe.

Segundo o Alcorão, eles são feitos de um fogo abrasador sem fumaça, mas isso não impede que eles tenham também sua forma física, podendo interagir de forma tátil com pessoas e objetos. Fisicamente, eles apresentam todas as formas e tamanhos: alguns têm cascos, caudas longas e orelhas esvoaçantes; outros têm cabeças sem corpo e corpos sem cabeça.

Um jinn tem o poder de viajar grandes distâncias a uma velocidade incrível, e acredita-se que eles habitem áreas inacessíveis aos humanos, como montanhas, mares, comunidades afastadas ou a própria atmosfera.

De forma semelhante aos humanos, os gênios também serão julgados no Dia do Juízo e serão enviados para o Céu ou Inferno de acordo com suas ações.

Essas criaturas podem ser boas, perversas ou imparcialmente compassivas e agem livremente como os humanos. Como escreveu Amira El-Zein, no livro *Islam, arabs, and the intelligent world of the jinn*: "Como entidades espirituais, os jinns são considerados bidimensionais, com a habilidade de viver e operar tanto no domínio visível quanto no invisível".

Mas os jinns são muito mais do que demônios ou espíritos: eles são criaturas inteligentes e de vontade própria que vivem perto da natureza e são dotados de poderes mágicos. Alguns são bons, outros são maus e muitos estão em algum lugar entre um e outro, mas todos acabam sendo trapaceiros de alguma forma.

Uma descoberta surpreendente na mitologia dos gênios foi sua semelhança com a sociedade humana: eles teriam reis, cortes, casamentos e rituais de luto.

Os jinns seriam divididos em três classes: aqueles que têm asas e voam no céu, aqueles que se parecem com cobras e cães e aqueles que viajam incessantemente. Acredita-se também que os gênios esporadicamente assumam a aparência humana para enganar e aniquilar as pessoas.

A raça dos jinns está repleta de diferentes tipos de espíritos, cada um com seu próprio lugar no pandemônio, como os ifrits, mārid e qareen, embora a classificação possa variar.

De acordo com a mitologia, os jinns foram criados dois mil anos antes da criação de Adão e tinham uma elevada posição no paraíso, algo similar aos anjos. Contudo, depois que Deus fez Adão, os jinns se recusaram a se curvar perante a nova criatura, sob a liderança do seu orgulhoso líder Iblīs.

Essas criaturas acabaram sendo expulsas do paraíso pela sua má conduta, tornando-se entes perversos e asquerosos. Iblīs, que foi atirado com eles à Terra, tornou-se o equivalente do satanás cristão. Desde então, os gênios só aparecem quando querem incomodar os humanos.

A ORIGEM DO GÊNIO DA LÂMPADA

Como os demônios de quatro mil e quinhentos anos evoluíram para os sujeitos amigáveis que aparecem concedendo desejos? Esse processo levou alguns milhares de anos para conquistar as pessoas e foi necessário distorcer o mito para separar o antigo do novo, mas, graças à cultura pop e aos franceses, as criaturas antigas e aterrorizantes do deserto tornaram-se dóceis personagens de desenhos animados.

O francês Antoine Galland foi o primeiro a decodificar a compilação das *Mil e uma noites* para um público europeu, com sua versão para o francês em 1704. Ao ver a palavra jinn no original, ele achou que soava muito como a palavra francesa "génie" e, desde então, essa é a palavra utilizada. Jinn se tornou, então, o gênio da lâmpada. Quando os leitores europeus viram a palavra gênio, não associaram com um demônio antigo, mas com uma criatura simpática que realiza seus desejos, assim, logo depois, já estavam os enfiando em lâmpadas e garrafas. Apesar de as histórias das *Mil e uma noites* já existirem há tempos, a primeira vez que os europeus ouviram falar delas foi com a tradução de Galland, o que permitiu que o tradutor inserisse ou adicionasse algumas peças de autoria própria sem que ninguém notasse.

As histórias mais famosas com o tema do "gênio" moderno são, provavelmente, "Ali Baba e os quarenta ladrões" e "Aladim", e é nesta última que a ideia do gênio da lâmpada é definida e consolidada.

Arabian Nights Entertainment por Louis Rhead.

Gravura do século XVI mostrando uma batalha contra os jinns.

Miniatura persa do século XVI mostrando os jinns ajudando na construção de um muro.

NASNĀS

Originários da região do Iêmen, os nasnās são criaturas monstruosas com meio corpo humano: eles têm meia cabeça, meio corpo, um braço e apenas uma perna, com a qual saltam com muita agilidade. Parecem, portanto, um homem que foi cortado ao meio na vertical. Eles são classificados como uma forma inferior de jinn ou djinn (mais conhecidos no mundo ocidental como gênios).

O que diferencia os nasnās dos gênios tradicionais, entretanto, é o fato de eles terem um corpo físico, enquanto os gênios são imateriais e apenas assumem a forma de fantasmas, névoas, sombras ou tempestades de areia provisoriamente. Enquanto os jinns flutuam causando estragos à sua volta, os nasnās estão condenados a simplesmente pular na frente de pessoas que estão passando e atacá-las.

Alguns acreditam que os nasnās se disfarçam de velhos decrépitos para enganar pessoas desavisadas. Eles acenariam pedindo ajuda para cruzar um rio ou lago, mas revelariam sua verdadeira natureza no último minuto, terminando por afogar suas vítimas. Em alguns casos, conta-se que os nasnās espancariam pessoas até a morte com a única mão que têm.

Há rumores, no entanto, de que os habitantes locais que viviam em uma antiga região da Arábia, conhecida como Hadhramaut, desenvolveram uma forma de combater os nasnās comendo-os. Eles literalmente os caçavam e comiam, pois sua carne era supostamente bastante doce.

O que torna os nasnās tão horripilantes é indiscutivelmente sua simplicidade e sua semelhança com os humanos. Na verdade, ele são basicamente apenas um ser humano normal, que foi dividido ao meio. Usando sua única perna, são capazes de pular com surpreendente agilidade e, muitas vezes, são retratados com uma cauda semelhante à de um cordeiro, o que os ajudaria a manter o equilíbrio enquanto saltam para frente. De acordo com certos relatos, os nasnās que vivem em uma ilha chamada Jábeh (que se acredita ser a moderna Java) no Mar de al-Hind (o Oceano Índico) têm cabeças embutidas no peito, em vez de sobre os ombros. Há também supostamente um tipo de nasnās com asas de morcego que habita a Ilha de Ráïj no Mar da Natureza (Mar da China Meridional).

Uma característica particularmente perturbadora dos nasnās é que não conseguem falar, porque não têm metade das cordas vocais. No entanto, são capazes de emitir um ruído estranho, estridente e agudo, que pode ser assustador. Dependendo do volume e do tom dos ruídos, pode-se discernir o estado emocional das criaturas. Existem lendas, no entanto, que sugerem que os nasnās podem, de fato, falar, mas, muitas vezes, optam por não o fazer.

No folclore somali, existe uma criatura conhecida como Xunguruuf ou Hungruf, que se parece muito com os nasnās. Acreditava-se que o Xunguruuf poderia matar um ser humano simplesmente tocando-o e que esse toque de morte faria a carne do corpo da pessoa derreter em segundos.

Em geral, acreditava-se que os nasnās eram descendentes profanos de uma pessoa e uma forma inferior de jinn conhecida como Shiqq, que, por sua vez, era retratada como uma criatura ou ser humano semiformado. Em alguns contos populares árabes, no entanto, conta-se que os nasnās eram originalmente uma tribo de 'Ād, uma das antigas tribos mencionadas no Alcorão, que foi punida por Deus porque seus integrantes se rebelaram contra o profeta. Deus transformou a todos em nasnās para que pudessem pular como pássaros e pastar como animais, desumanizando-os por suas transgressões.

Os estudiosos explicam que os nasnās podem ser analisados de duas formas. A primeira é considerá-los criaturas folclóricas, que podem ter sido baseadas em encontros com animais existentes; a segunda é vê-los como uma alusão à degradação moral ou física do homem. Como intermediários entre o animal e o homem, tinham a intenção potencial de simbolizar um dos três atos profanos: a criação em um estado incompleto, a bestialidade e a punição adequada para aqueles que desafiarem a Deus.

Um camelo e três nasnās. Manuscrito antigo.

QAREEN

Um qareen é um tipo de criatura semelhante a um gênio, mas que pode ser controlado para cumprir as ordens de um mestre, que está de posse de seu coração. O termo significa literalmente "companhia constante". Devido à sua natureza fantasmagórica, o qareen é classificado entre as criaturas do tipo jinn, embora não seja, de fato, um.

Existem várias opiniões sobre a natureza exata do qareen. Alguns acreditam que o qareen seja, na verdade, um shaitan, que incita os humanos com sugestões malignas, mas que também pode se tornar bom de acordo com as boas ações dessa pessoa.

Outros acreditam que o termo "qareen" se refere a qualquer tipo de espírito que acompanha os humanos. Dessa forma, o qareen pode se referir a demônios que lançam sugestões malignas, mas também a anjos que aconselham a praticar boas ações.

Além disso, o qareen é descrito como o outro eu: um espírito integral que faz parte da pessoa. Uma discordância entre o qareen interno e o comportamento pode causar os mesmos sintomas da possessão por jinn.

Os qareens são metamorfos e assumirão a forma do desejo mais profundo e sombrio de uma pessoa, seduzindo e depois matando a vítima. Para saber qual é o desejo daquela pessoa, eles leem sua mente, o que fazem com facilidade. Eles conseguem imitar a aparência de alguém perfeitamente, até mesmo suas roupas. O qareen também tem uma força infinita. Além de prender humanos adultos, são capazes de perfurar o peito de uma pessoa e arrancar seu coração sem esforço. Ele também pode perfurar madeira e até mesmo metal grosso sem nenhum esforço aparente.

A única maneira de matar um qareen é apunhalando seu coração.

ROC

Quando muitas pessoas pensam em um pássaro mitológico gigante, o primeiro pensamento que vem à mente é geralmente a fênix, uma ave supercolorida e poderosa. Bem, conta-se que um dia existiu um pássaro tão grande e sinistro que sua presença no céu projetaria gigantes sombras na terra abaixo dele e que o bater de suas asas poderia criar rajadas de vento comparáveis a um ciclone.

Na mitologia popular do Oriente Médio, existe uma ave de rapina lendária chamada Roc, que foi popularizada nos contos de fadas árabes e no folclore dos marinheiros.

Em geral, ela é descrita como um pássaro de cor branca e catorze metros de comprimento, com penas tão grandes quanto folhas de palmeira. O Roc seria tão gigante que seus ovos teriam mais de quarenta e cinco metros de circunferência e, de acordo com a tradição árabe, a criatura pousaria apenas na montanha Qaf, o centro do mundo.

Em fontes antigas, dizia-se que a ave parecia vagamente uma águia, com uma língua longa, fina e bifurcada deslizando para fora entre dentes pontiagudos e afiados. Algumas histórias afirmam que o roc guardava até um tesouro secreto.

Esse pássaro aparece em um total de quatro histórias nas *Mil e uma noites*, duas das quais envolviam Simbad, o Marujo, e as outras duas envolviam Abd al-Rahman. Em uma das histórias de Simbad, o Roc, sem saber, carrega Simbad para um lugar seguro após um naufrágio. Simbad ficou então encalhado no ninho do Roc no topo de uma montanha, onde encontrou um ovo do tamanho de cento e quarenta e oito ovos de galinha.

Mais tarde, Simbad conseguiu escapar do ninho amarrando-se à perna do animal com o turbante sem que o pássaro percebesse, voando tão alto que perdeu de vista a Terra em certo ponto. Eventualmente, ele conseguiu escapar quando o roc voou para outra ilha.

Como é o caso da maioria das aves de rapina míticas, os pesquisadores modernos acreditam que a lenda do Roc pode ter sido iniciada por relatos exagerados de pássaros reais.

Outra teoria, menos aceita, sugere que o Roc seja uma alusão a um eclipse solar total. Esta teoria é aparentemente apoiada pelo fato de que o Roc é descrito como branco, a cor da coroa solar. Além disso, nas *Mil e uma noites*, é descrito como um pássaro de tamanho enorme, corpo volumoso e asas largas, que, ao voar no ar, ocultava o próprio Sol, possivelmente descrevendo um eclipse solar total.

O famoso explorador Marco Polo afirmou ter realmente visto um Roc no século XIII, a caminho da China. Polo relatou que os Rocs eram famosos por mergulhar de um voo, agarrar-se a um elefante, voar e, em seguida, soltar o elefante para que ele morresse. O Roc então descia e jantava à vontade.

Arte de Edward Julius Detmold.

SHADHAVAR

O Shadhavar é um unicórnio encontrado nos escritos de eruditos árabes e persas. O Shadhavar se assemelha a uma gazela que tem um único chifre oco com quarenta e dois ramos em sua cabeça. Quando o vento passa pelas frestas desses ramos, ele produz um som agradável, assim, outros animais, percebendo a música, reúnem-se ao redor do shadhavar para apreciar a bela melodia.

Conta-se que os chifres dessas criaturas às vezes eram oferecidos a reis e produziam música na presença do vento. Entretanto, a forma de segurar o chifre determinaria que tipo de som seria produzido: se segurado de uma determinada maneira, a melodia seria alegre e edificante; quando invertido, produziria um canto triste com o potencial de levar os ouvintes às lágrimas.

A descrição desse animal musical pode ser encontrada pela primeira vez nos escritos de Jabir ibn Hayyan, um estudioso árabe do século VIII, que o chama de aras. Segundo ele, o filósofo grego Platão havia capturado um aras, e seu chifre era passado de geração em geração em sua família.

Zakariya ibn Muhammad al-Qazwini – um animal com um chifre chamado aras – Walters W659106A.

Na mitologia árabe, o shaitan – também conhecido como sheitan – é uma classe de jinns descrentes. Na crença islâmica, são espíritos malignos que incitam os humanos a pecar por meio de sussurros em seus corações.

O folclore os descreve como criaturas excepcionalmente feias, homens e mulheres que são capazes de assumir a forma humana, embora seus pés sempre tenham cascos. Eles comem excrementos e usam doenças como arma. Além disso, acredita-se que eles se encontram na fronteira entre a luz e as trevas.

A natureza exata dos shaitans, entretanto, é difícil de determinar. Historicamente, entre os árabes pré-islâmicos, eles funcionavam como familiares (um espírito geralmente com forma de animal que oferece ajuda a quem pratica bruxaria), fornecendo inspiração para adivinhos e poetas. Nas histórias de Salomão, os shaitans parecem não ser mais do que jinns/gênios com conhecimentos particulares. No Alcorão, porém, eles assumem o papel do diabo, um empréstimo óbvio da tradição judaica. Embora não sejam necessariamente maus, eles pertencem às hordas comandadas por Iblīs, o diabo, que também é chamado em árabe de ash-Shayṭān. Ele e os shaitans sussurram sugestões malignas nos ouvidos dos homens, mas não têm nenhum poder real sobre eles.

Mencionados oitenta e oito vezes no Alcorão, os shaitans, junto com os anjos, são as entidades sobrenaturais mais mencionadas no livro. Na história de Adão e Eva, um shaitan tenta Adão a comer da árvore proibida, argumentando que Deus apenas proibiu seus frutos. De acordo com o Alcorão 15: 16–18, os shaitans se levantam contra o céu na tentativa de roubar seus segredos, mas são perseguidos por meteoritos; entretanto, ao contrário dos jinns, eles podem ter sucesso parcial e obter algumas informações. O Alcorão 2:102 menciona os shaitans como professores de feitiçaria e 62–68 descreve os frutos de Zaqqum, a árvore do inferno, como cabeças de shaitan.

Representação de um demônio na mitologia islâmica, século XIV/XV.

SILA

O sila é um espírito traiçoeiro no folclore árabe. Esses espíritos são classificados por alguns como uma das classes mais maliciosas de jinns. Acredita-se que sejam talentosos e que consigam mudar de forma com facilidade, transformando-se frequentemente em homens e mulheres. Apesar de suas impressionantes habilidades de transformação, eles podem ser descobertos por seus traços híbridos de animais.

Diz-se que os silas vivem nas partes desoladas do deserto, onde conduzem viajantes e nômades para o caminho errado, levando-os à morte. Eles também seduzem e se casam com homens ou até mesmo são capazes de dar à luz um filho de um relacionamento entre humanos e jinns.

ZARQA 'AL-YAMAMA

Conta-se que Zarqa 'al-Yamama era uma mulher de olhos azuis com intuição excepcional, visão aguçada e capacidade de prever eventos antes que eles acontecessem. Ela fazia parte de uma tribo que confiava em seus poderes para detectar inimigos e defender suas terras, pois acreditava-se que ela tinha a capacidade de ver cavaleiros uma semana antes que eles se aproximassem. Diz a lenda que, em uma tentativa de fugir da visão de Yamama, os rivais de sua tribo se esconderam atrás de árvores que carregavam em direção à aldeia. Yamama percebeu o que eles estavam tentando fazer e tentou alertar o seu povo de que a floresta estava se mexendo, mas ninguém a levou a sério. Achando que ela havia enlouquecido, todos logo desconsideraram o assunto.

Infelizmente, as tropas inimigas finalmente alcançaram sua tribo, mataram todos os homens do acampamento e então arrancaram os olhos de Zarqa e a crucificaram.

Conta-se que estranhas fibras pretas estavam presentes nos globos oculares de Zarqa ʻal-Yamama, o que era devido ao seu uso sempre de pó de antimônio como colírio. Por essa razão, em livros subsequentes de awāʾil — um gênero literário de muito sucesso na época islâmica que relatava os nomes da primeira pessoa que havia feito algo relevante ou curioso —, Zarqa ʻal-Yamama seria lembrada como a primeira mulher a usar kajal para os olhos.

Alguns historiadores árabes acreditam que o distrito de Al-Yamama, uma antiga região histórica da Arábia Saudita, recebeu o nome em homenagem a essa misteriosa senhora.

ZOUREG

O Zoureg é uma cobra com meio metro de comprimento que vive no deserto da Arábia. Quando se move, atravessa tudo em seu caminho como uma faca quente cortando manteiga. Nem mesmo rochas, árvores, paredes e corpos humanos podem detê-la: qualquer pessoa que passe pelo Zoureg morre instantaneamente.

Ele só pode ser morto se alguém o decapitar enquanto dorme.

Shahriyar revelando Shahrazad - 1001 Noites 1839, Gravado por Thompson.

O gênio sai da jarra. Desenho, 1898, de Henry J. Ford para a 'História do Pescador' de 'Arabian Nights'.

Ilustração de uma edição de 1929, por Maxfield Parrish.

Referências

AL-RAWI, Ahmed K. *The Arabic Ghoul and its Western Transformation.* Folklore, 120:3, 2009. Disponível em: https://www.researchgate.net/publication/254289317_The_Arabic_Ghoul_and_its_Western_Transformation>. Acesso em fevereiro de 2021.

AL-RAWI, Ahmed. *A Linguistic and Literary Examination of the Rukh Bird in Arab Culture.* Al-'Arabiyya 50. 2017. Disponível em: <www.jstor.org/stable/26451398>. Acesso em fevereiro de 2021.

AL-QAZWINI, ZAKARIYA. The Wonder's of Creation – Manuscrito. Escriba: Muhammad ibn Muhammad Shakir Ruzmah-'i Nathani. Disponível em: <https://art.thewalters.org/detail/84067/dragon-of-tannin-island-and-horned-rabit/>. Acesso em fevereiro de 2021.

AL-QAZWINI, ZAKARIYA. (1868). Die Wunder der Schöpfung. Edição: von Hermann, Ethé. Digitale Bibliothek des Sondersammelgebietes Vorderer Orient. Leipzig (em alemão). Disponível em: http://menadoc.bibliothek.uni-halle.de/ssg/content/titleinfo/417293>. Acesso em fevereiro de 2021.

EL-ZEIN, Almira. *Correspondences Between Jinn and Humans.* Em: Islam, Arabs, and the Intelligent world of the Jinn. Syracuse University Press,

2009. https://muse.jhu.edu/book/12956: 14.
JERIES Khoury. *Zarqa' al-Yamama in the Modern Arabic Poetry,* A *Comparative Reading.* September 2008. Journal of Semitic Studies 53(2).
LANE, Edward William. Lane-Poole, Stanley (ed.). *Arabian society in the Middle ages: studies from the Thousand and one nights.* London: Chatto & Windus, 1883. Disponível em: <https://archive.org/details/arabiansocietyin00laneuoft/page/106/mode/2up?view=theater>. Acesso em fevereiro de 2021.
RUSTOMJI, Nerina. The Garden and the Fire: Heaven and Hell in Islamic Culture. Columbia University Press, 2013.
RASSOOL, Hussein G. *Existence and types of Jinn: Evidence from the Qur'an, Sunnah and scholars.* Em: Evil Eye, Jinn Possession, and Mental Health Issues: An Islamic Perspective. Londres: Routledge, 2018. Disponível em: Https://doi-org.ezproxy.library.ubc.ca/10.4324/9781315623764: 121. Acesso em fevereiro de 2021.

ATLÂNTIDA DAS AREIAS

GLASSÉ, Cyril; Huston Smith. "'Ād". The New Encyclopedia of Islam *(Edição revisada).* AltaMira Press, 2003.
ISLAMICITY. *The People of 'Ad and Ubar, the Atlantis of the Sands.* Disponível em: <http://www.islamicity.com/Science/quranandscience/destruction/GeneratedFilesNoFrame/ThePeopleof145AdandUbartheAtlantisoftheSands.htm>. Acesso em fevereiro de 2021.
NABATAEA. "The Incense Road: Ubar". Disponível em <https://nabataea.net/explore/cities_and_sites/ubar>. Acesso em fevereiro de 2021.
NEUENKIRCHEN, Paul. Biblical Elements in Koran 89, 6-8 and Its Exegeses: A New Interpretation of "Iram of the Pillars". 2013, Arabica 60/6, pp. 651-700.
SASSON, Jack M. *Civilizations of the Ancient Near East.* Londres: Hendrickson Publishers, 1994.
TRIPZIBIT. 2011. Lost City of Iram. Disponível em: <http://unmyst3.blogspot.co.uk/2011/06/lost-city-of-iram.html>. Acesso em fevereiro de 2021.

GHOULS

AL-RAWI, Ahmed K. "The Arabic Ghoul and its Western Transformation". Folklore 120 (dezembro 2009). Disponível em: https://www.researchgate.net/publication/254289317_The_Arabic_Ghoul_and_its_Western_Transformation/link/0f31753c4227706c9d000000/download>. Acesso em fevereiro de 2021.

AL-RAWI, Ahmed K. The Mythical Ghoul in Arabic Culture. 2009. Disponível em: https://www.researchgate.net/publication/277816715_The_Mythical_Ghoul_in_Arabic_Culture>. Acesso em fevereiro de 2021.

REYNOLDS, Dwight. The Cambridge Companion to Modern Arab Culture. Cambridge: Cambridge University Press, 2015.

JINNS

LEBLING, Robert. Legends of the Fire Spirits: Jinn and Genies from Arabia to Zanzibar. I.B.Tauris.

LUECKE, LARISSA. *Monsters, Myths and Magic: Jinns in the Islamic World.* University of British Columbia, 2020. Disponível em: https://www.academia.edu/42825007/Monsters_Myths_and_Magic_Jinns_in_the_Islamic_World>. Acesso em fevereiro de 2021.